# Jus de chaussettes

### ROMAN

VINCENT REMÈDE

## À PROPOS DE L'AUTEUR

**Vincent Remède** est un auteur français. Il est né en 1967 à Paris de parents eux-mêmes parisiens (ce n'est le cas que d'un habitant de la capitale sur vingt!). Il adore sillonner la ville à pied en tous sens et n'a jamais souhaité vivre ailleurs. Malgré tout, il éprouve souvent le besoin de se perdre dans d'autres grandes métropoles et on peut le croiser à New York, Londres, San Francisco ou Barcelone. Par ailleurs, c'est un passionné de plongée et il n'est pas non plus impossible de le rencontrer sous l'océan.

Enfin, depuis quinze ans, il parcourt également régulièrement l'Afrique francophone pour mener diverses activités éditoriales.

### Dans la collection Mondes en VF

*Papa et autres nouvelles*, VASSILIS ALEXAKIS, 2012 (B1)

*La cravate de Simenon*, NICOLAS ANCION, 2012 (A2)

*Enfin chez moi!*, KIDI BEBEY, 2013 (A2)

*Le cœur à rire et à pleurer*, MARYSE CONDÉ, 2013 (B2)

*Quitter Dakar*, SOPHIE-ANNE DELHOMME, 2012 (B2)

*Un cerf en automne*, ÉRIC LYSØE, 2013 (B1)

*La marche de l'incertitude*, YAMEN MANAI, 2013 (B1)

*Pas d'Oscar pour l'assassin*, VINCENT REMÈDE, 2012 (A2)

# LA COLLECTION MONDES EN VF

Collection dirigée par Myriam Louviot
Docteur en littérature comparée

## www.**mondes**en**vf**.com

Le site *Mondes en VF* vous accompagne pas à pas pour enseigner la littérature en classe de FLE avec :

- une fiche « Animer des ateliers d'écriture en classe de FLE » ;
- des fiches pédagogiques de 30 minutes « clé en main » et des listes de vocabulaire pour faciliter la lecture ;
- des fiches de synthèse sur des genres littéraires, des littératures par pays, des thématiques spécifiques, etc.

 Téléchargez gratuitement
la version audio MP3

# PROLOGUE

Napoléon était petit, mais il a fait parfois de grandes choses. En 1802, il décide de construire le canal[1] Saint-Martin, à Paris. Le petit homme veut diminuer la circulation des bateaux sur la Seine et fournir de l'eau à la capitale française.

Une taxe sur le vin est alors créée pour payer la construction du canal de quatre kilomètres. À Paris, au début du XIX$^e$ siècle, on boit donc du vin avant de boire de l'eau!

Martine Gomez est petite et elle ne fait jamais de grandes choses. Sa vie est triste. Elle habite à côté du canal Saint-Martin depuis plus de trente ans. Elle le traverse à pied tous les matins, sur le pont de la rue Dieu, pour prendre le métro, place de la République. Car elle travaille près de l'Opéra, au fond d'un grand bureau.

---

1. Canal (n.m.): *Voie d'eau construite par l'homme, sorte de rivière artificielle.*

Aujourd'hui, on ne transporte presque plus de marchandises sur le canal Saint-Martin. Sur de jolis bateaux, on promène des touristes qui admirent le paysage romantique. On prend des photos. On se balade[2] et on pique-nique sur les quais à l'ombre des platanes, on donne rendez-vous à des amis, on se fait bronzer l'été au bord de l'eau verte…

Martine Gomez n'a pas d'amis et le soleil n'est pas bon pour sa peau. Elle ne se promène jamais dans son quartier. Elle a peur de l'eau et donc du canal. À soixante ans, épuisée par le travail, elle sort peu de son grand studio sur cour, avec télévision 82 cm LCD.

Elle ne va jamais dans les bars et les restaurants à la mode, près de chez elle. On y rencontre de jeunes génies de l'informatique. De nombreuses entreprises du web et de l'informatique se sont en effet installées autour du canal, dans le Xe arrondissement. Elles conçoivent des sites Internet, des logiciels et des jeux vidéo.

Martine Gomez sait à peine se servir des logiciels *Word* et *Excel*. Elle perd beaucoup de fichiers en essayant de les sauvegarder[3]. Ses collègues attendent donc son départ à la retraite avec impatience.

Elle arrive toujours la première au bureau, à 7 h précises. Mais mardi 14 février 2012, à 6 h 36, elle est

---

2. Se balader (v.) : *Se promener.*
3. Sauvegarder (v.) : *Enregistrer.*

en retard. Elle souffre d'arthrite. Elle marche lentement sur le pont. Elle a peur de tomber.

Soudain, Martine Gomez s'arrête. Quelques secondes pour comprendre ce qu'elle voit. Le cerveau enregistre l'information. Elle se met alors à crier, d'une horrible voix aiguë, tout en regardant les eaux calmes du canal.

Le corps d'un homme flotte près du pont de la rue Dieu, contre le quai. Son visage est tout rouge et gonflé. Ses cheveux sont cachés par un bonnet rouge. Ses yeux grands ouverts fixent le ciel. Peut-être recherche-t-il encore les raisons qui l'ont amené dans le canal ?

C'est la première fois de sa vie que Martine Gomez voit un cadavre[4]. À la télévision, ils lui font moins d'effet.

D'habitude calmes, les canards du canal sont affolés[5] par ses cris. En quelques secondes, ils s'envolent vers un endroit plus tranquille. Maintenant, quelques passants entourent Martine Gomez. Elle montre maladroitement du doigt le baigneur. Avec son anorak, il flotte comme une grosse bouée[6] de plage. Malgré le froid, les piétons s'arrêtent, toujours un peu plus nombreux. Le spectacle est gratuit.

---

4. Cadavre (n.m.) : *Corps mort d'un homme.*
5. Affolés (adj.) : *Très troublés, qui ont peur.*
6. Bouée (n.f.) : *Objet flottant.*

# 1

Quand il est devenu lieutenant de police, il y a cinq ans, Oscar Tenon ne pensait pas se lever si souvent à l'aube[7]. À la brigade criminelle[8], on se lève tôt et on se couche tard. Impossible donc d'appliquer la loi[9] sur les 35 heures de travail par semaine.

À 7 h 46, Oscar arrive lentement sur sa Mobylette orange devant le canal Saint-Martin. Il a froid et encore sommeil. Il a envie d'un café pour se réveiller et se réchauffer.

Oscar n'est pas un flic[10] sportif et dynamique. De petite taille, pas plus d'un mètre soixante-dix, mince, les épaules étroites, son physique n'impressionne pas.

---

7. Aube (n.f.) : *Très tôt le matin, lever du jour.*
8. Brigade criminelle : *Police spécialisée dans les crimes.*
9. Appliquer la loi (v.) : *Faire respecter, mettre en pratique la loi (en France, depuis 2000, une loi prévoit que la semaine de travail dure 35 h et non plus 39 h comme avant).*
10. Flic (n.m.) : *Policier. (fam.)*

Les policiers en uniforme sont nombreux autour du canal. Ils empêchent les passants d'approcher du cadavre. Pour passer, Oscar Tenon montre sa carte de la brigade criminelle à ses collègues. Avec son imperméable[11] beige, son costume et sa petite cravate noire, il n'a pas vraiment l'air d'un flic. Il a la même coupe de cheveux que les Beatles au début des années 60. Mais Oscar Tenon ne s'intéresse pas à la mode et à trente-deux ans, il ne changera plus de look.

Son patron, le commissaire[12] Jean-Claude Brochant, lui adresse un léger sourire. Inutile de parler. Il faut observer. Des fonctionnaires[13] de la police scientifique en combinaison blanche prennent des photos, prélèvent de la terre et de l'eau. Ils mesurent la distance entre un banc et le canal. Canettes[14] de bière, mégots[15] de cigarette et bouts de papier qui traînaient sur le quai sont emportés pour analyse. On ne néglige aucun détail.

Le cadavre a été hissé[16] sur le quai. Il est vêtu d'un anorak gris brillant et d'un pantalon militaire. On dirait un skieur mais sans skis ni chaussures. En effet, bizarrement, la victime est en chaussettes.

---

11. Imperméable (n.m.) : *Manteau qui protège contre la pluie.*
12. Commissaire (n.m.) : *Officier de police (chef des lieutenants comme Tenon).*
13. Fonctionnaire (n.m.) : *Personne qui est employée par l'État.*
14. Canette (n.f.) : *Petite boîte contenant une boisson.*
15. Mégot (n.m.) : *Bout de cigarette.*
16. Hisser (v.) : *Tirer vers le haut, monter.*

Oscar Tenon s'agenouille près du cadavre, comme s'il voulait lui parler à l'oreille. Le visage rouge porte des traces de coups. La lèvre inférieure est coupée. Elle a sans doute beaucoup saigné. Autour de l'œil droit, la peau est violette. La victime a probablement résisté car sa main droite est abîmée. On retrouvera peut-être des traces ADN de son agresseur sous les ongles : peau, cheveux, sang… Oscar Tenon se rapproche du médecin légiste[17] et lui demande sans le regarder :

– Combien de temps est-il resté dans l'eau ?

– Environ six heures, pas beaucoup plus, lui répond le scientifique. Nous serons plus précis après l'autopsie[18].

– Et pourquoi lui avez-vous retiré ses chaussures ?

– Ce n'est pas nous, il n'en avait pas quand on l'a sorti de l'eau.

Le commissaire Brochant fait signe à Oscar Tenon de s'approcher. Grand et large, il est impressionnant. À bientôt cinquante-huit ans, il a résolu[19] de nombreuses énigmes criminelles et partira à la retraite dans quelques mois. Il apprécie beaucoup Oscar. Il lui fait confiance même si Oscar ne respecte ni le règlement, ni la discipline, ni le travail administratif. Mais il obtient de bons résultats et c'est l'essentiel.

---

17. Médecin légiste : *Médecin spécialisé dans l'étude des morts.*
18. Autopsie (n.f.) : *Examen d'un cadavre, en général pour connaître les causes de la mort.*
19. Résoudre (v.) : *Trouver la solution.*

Brochant fait le point d'une voix claire :

— Bon, pour l'instant, on n'a pas beaucoup d'éléments. La victime avait une carte d'identité au nom de Laurent Leprince. Trente-sept ans, marié, chef d'entreprise. Il avait aussi une carte de crédit et trois billets de vingt euros. Personne n'a rien vu, personne n'a rien entendu. Cette nuit, il faisait froid. Il n'y avait pas beaucoup de monde dans les rues. Oscar, vous êtes à 100 % sur cette affaire. Moi, je me charge de prévenir sa femme. Vous irez l'interroger après.

— OK patron. Qui a découvert le corps ? demande Oscar.

— La petite dame là-bas, près de notre collègue en uniforme. Elle partait au boulot[20]. Elle est encore choquée.

Oscar Tenon, lui, n'est pas choqué. Il est habitué à voir des cadavres et il aime ça. Pour lui, débuter une enquête, c'est commencer la lecture d'un bon roman. Aujourd'hui, pas de sang sur la scène de crime, mais déjà une énigme. Pourquoi Laurent Leprince s'est-il retrouvé dans l'eau sans ses chaussures ? Son ou ses assassins[21] lui ont-ils retiré ses chaussures avant de le pousser dans le canal ? Pour lui voler ? De nos jours, à Paris, on tue assez rarement pour une simple paire de chaussures.

---

20. Boulot (n.m.) : *Travail. (fam.)*
21. Assassin (n.m.) : *Personne qui tue quelqu'un volontairement.*

# 2

10 h 52. Le corps de Laurent Leprince arrive à la morgue[22], quai de la Rapée, là où le canal Saint-Martin rejoint la Seine. C'est un endroit sinistre[23] et bruyant entre six voies d'autoroute, la Seine et une ligne de métro.

Trois heures après avoir découvert son cadavre, la police connaît déjà bien Laurent Leprince. Et la brigade criminelle dispose d'une photographie récente de lui. Par ailleurs, un bon Français figure dans des dizaines de fichiers, sans compter les traces laissées par son téléphone portable, son ordinateur ou sa carte bancaire. Et Laurent Leprince a laissé des traces avant de mourir...

10 h 53. À son bureau, quai des Orfèvres, Oscar Tenon lit le premier rapport sur la victime. Il est immobile et concentré. Il observe la photo de Laurent

---

22. Morgue (n.f.) : *Salle où on met provisoirement les morts.*
23. Sinistre (adj.) : *Sombre, triste.*

Leprince, un homme souriant à l'œil vif, les cheveux et la barbe impeccablement rasés[24].

Laurent Leprince était patron de Securix, une petite entreprise d'informatique créée fin 2008, située 23 rue Dieu, à vingt mètres du canal. Quasiment[25] sur les lieux du crime. Marié depuis quatre ans, l'homme louait avec sa femme, Natascha, un appartement au nord du canal. Pas d'enfants, pas de condamnations pénales[26]. Un compte en banque et pas d'assurance vie. Pas de voiture. Un forfait[27] de téléphone mobile pour deux heures par mois. Le résumé d'une vie qui s'arrête dans le canal Saint-Martin.

Oscar Tenon est décidé à en découvrir beaucoup plus. Ils sont trois lieutenants de police chargés de l'affaire, avec le commissaire Brochant. Mais comme d'habitude, le lieutenant Tenon fait ce qu'il veut. Il travaille seul ou presque. Et pas question de rester au bureau.

Comme il déteste téléphoner, il appelle le commissaire seulement tous les deux jours. Avec ses autres collègues, il ne communique pas. Ce sont des concurrents. Il veut enquêter[28] mieux et plus vite, avec ses méthodes à lui. Sans téléphone portable ni ordinateur car Oscar

---

24. Impeccablement rasés : *Parfaitement coupés.*
25. Quasiment (adv.) : *Presque.*
26. Condamnation pénale : *Décision de la justice qui prononce une peine, une sanction (L. Leprince n'a jamais eu de problèmes avec la justice).*
27. Forfait (n.m.) : *Ici, prix fixé à l'avance pour deux heures de communication téléphonique par mois.*
28. Enquêter (v.) : *Chercher des informations, des renseignements.*

déteste les nouvelles technologies. S'il a vraiment besoin d'appeler quelqu'un, il demande son téléphone portable à un policier en uniforme, dans la rue. Ou bien il va dans le plus proche commissariat[29].

11 h 12. Oscar Tenon conduit sa Mobylette en direction du canal Saint-Martin. Pas très prudent, il roule vite et à Paris, les automobilistes sont agressifs. Il veut rencontrer les cinq employés de Laurent Leprince le plus vite possible. Moins ils auront réfléchi, plus ils seront sincères. Quel employé n'a pas rêvé un jour d'assassiner son patron ?

Les locaux de Securix se trouvent au fond d'une cour, au rez-de-chaussée. L'immeuble du XIXe siècle est entièrement rénové[30]. Les loyers sont sans doute très chers, comme partout dans le quartier. Une douzaine de boîtes aux lettres portent des noms d'entreprises : Webxxx, Securix, L'intelligent numérique, 3MGK…

Oscar pénètre dans une grande pièce peinte en blanc et rouge où se trouvent déjà trois brigadiers[31] et cinq personnes. L'une d'elles, une grande brune, tient son nez avec un mouchoir, les yeux pleins de larmes. L'ambiance est lourde. Les employés fixent le sol ou les murs. Ils ne se regardent pas.

---

29. Commissariat (n.m.) : *Locaux de la police, poste de police.*
30. Rénové (adj.) : *Refait à neuf.*
31. Brigadier (n.m.) : *Policier en uniforme sous les ordres d'un lieutenant de police (comme Tenon).*

Oscar Tenon s'avance vers eux en tenant sa carte de police sur son front. Parfois, il adore faire l'enfant.

– Bonjour à tous, je suis le lieutenant Tenon, de la brigade criminelle. Je ne ressemble pas à un flic mais je vous conseille de me prendre au sérieux. J'ai besoin que vous me parliez de Laurent Leprince. Y a-t-il un endroit pour s'isoler, à part les toilettes ? Je voudrais vous entendre un par un.

– Il y a le bureau de Laurent qui est fermé. Le reste est en *open space*, lui glisse un jeune homme d'une vingtaine d'années.

– Je préfère ne pas aller dans le bureau de votre patron, répond Oscar. Des collègues vont venir étudier ses affaires et son ordinateur. Nous allons discuter dans la cour. Il fait un peu froid, mais parler peut réchauffer.

Pendant une heure et demie, Oscar questionne les collègues de la victime, un par un. Il a froid aux orteils dans ses chaussures en cuir. Les employés de Securix ne sont pas très à l'aise. Certaines fument beaucoup trop de cigarettes. Le jeune flic aime mettre les gens dans des situations difficiles pour les interroger.

Les cinq collègues n'arrivent pas encore à imaginer leur patron mort. Ils ont l'air sincèrement émus. Leurs témoignages se ressemblent.

Laurent Leprince était apprécié de ses employés. Un génie de l'informatique qui n'avait pas besoin d'être autoritaire. Un homme secret avec qui on n'allait pas boire un verre et raconter sa vie. Mais sympathique et facile d'accès dans le travail. Sa vie semblait saine : ni drogue, ni alcool, ni cigarette.

Marine, la secrétaire de l'entreprise, trouve la force de se souvenir. Elle renifle[32] beaucoup. Oscar est agacé[33].

– C'était agréable de travailler avec lui. Il savait prendre les bonnes décisions. Et il nous écoutait vraiment.

– Quel est votre poste dans l'entreprise ?

– Je m'occupe du courrier, de la présentation des offres commerciales, des factures[34]…

– Vous vous occupiez de l'emploi du temps et du courrier de monsieur Leprince ?

– Oh, non ! Il s'occupait de ça tout seul. C'est lui qui prenait ses rendez-vous. Il avait une très bonne mémoire, il n'avait pas besoin d'agenda[35].

– Et il lui arrivait d'être désagréable ? lui demande Oscar.

– Non jamais ! Il était très poli.

Steve Works, ingénieur, était sans doute le plus proche collaborateur[36] de Laurent Leprince. Cet Australien aux cheveux roux parle un bon français, avec

---

32. Renifler (v.) : *Aspirer fortement par le nez.*
33. Agacé (adj.) : *Énervé.*
34. Facture (n.f.) : *Document qui donne le prix d'un service ou d'une marchandise.*
35. Agenda (n.m.) : *Carnet dans lequel on note les rendez-vous et les choses à faire.*
36. Collaborateur (n. m.) : *Personne qui travaille avec quelqu'un d'autre.*

un charmant accent. Il semble perdu. Les mains dans les poches, il marche autour d'Oscar pour se réchauffer. Il ne fait pas plus de 5° C dans la cour.

– Pourriez-vous m'expliquer ce que vend Securix ? lui demande le flic sans introduction.

– Nous créons des sites Internet sécurisés. Des sites de vente en ligne, des sites pour les banques. Des bases de données[37]. Des codes d'accès sophistiqués.

– Et ça se vend cher ?

– Assez oui...

L'Australien sourit tristement. Oscar le met mal à l'aise en tentant de le regarder dans les yeux.

– Vous avez donc de bons salaires ?

– Tout à fait, répond l'Australien.

– Depuis combien de temps connaissiez-vous monsieur Leprince ?

– Six ans environ. Je l'ai rencontré à un meeting informatique.

– Et vous travailliez ensemble depuis combien de temps ?

– Ça fait trois ans que Securix a été créée. Je suis arrivé six mois après.

– Vous pourriez me décrire votre patron ?

Quelques secondes de silence. Steve Works choisit ses mots.

---

37. Base de données : *Ensemble d'informations organisées pour être utilisées par un programme informatique.*

– C'était un maître de la programmation et des systèmes de sécurité. Je n'ai jamais rencontré un informaticien aussi fort. Je ne sais pas comment on va faire sans lui…

Matthias Rossi a vingt-deux ans et les cheveux longs. Il travaille pour Securix depuis un an. Il sort d'une école d'informatique. Il est programmateur. Hier, il est parti le dernier de l'entreprise, vers 20 h 30. Laurent Leprince était encore dans son bureau, seul.

– Votre patron travaillait souvent tard le soir ?

– Oh oui, répond le jeune homme avec naturel. Il bossait beaucoup.

– Et vous trouvez qu'il s'habillait bien ?

Matthias est surpris par la question. Il a un mouvement de recul.

– Bah je ne sais pas. Chacun fait ce qu'il veut…

– Son anorak brillant était un peu ridicule, non ? Laurent Leprince s'habillait-il parfois comme un patron, avec un costume et une cravate ?

– Je ne l'ai jamais vu avec une cravate. Pour certains rendez-vous, il mettait une chemise blanche, mais il était plutôt du style jean-basket.

– Votre patron portait des baskets ?

– Oui, il ne portait que ça. Il devait en avoir une bonne dizaine de paires.

Oscar fait semblant de ne pas s'intéresser à la réponse puis enchaîne sèchement :

– Avez-vous tué votre patron ?

– Mais oh, ça va pas ? proteste Matthias. Je n'ai tué personne !

– Du calme, jeune homme ! Vous êtes le dernier à avoir vu Laurent Leprince vivant...

Oscar fait un geste d'apaisement[38] du bras et reprend :

– Qu'avez-vous fait hier soir ?

– J'étais dans un bar avec des amis.

– Hier, tout avait l'air normal quand vous êtes parti de Securix ?

– Rien à signaler. Laurent n'était pas de très bonne humeur, mais ça lui arrivait parfois.

– Il vous a salué, souhaité une bonne soirée ?

– Il m'a fait un signe de la main. Il était en train de lire, les pieds sur son bureau. Il était en chaussettes.

---

38. Apaisement (n.m.) : *Retour au calme.*

# 3

Oscar Tenon n'aime pas les films de cow-boys. Il trouve ces types[39] ridicules avec leurs grands chapeaux et leurs revolvers sur la cuisse. Le lieutenant Tenon déteste se promener avec une arme dans la poche. De toute façon, il n'en a pas besoin pour interroger la veuve[40] de Laurent Leprince, chez elle.

16 h 52, Oscar est assis dans un gros fauteuil en cuir, face à une belle femme blonde. Ses yeux verts sont rouges. Elle pleure en silence. Sa sœur est assise à côté d'elle sur un canapé. Elle lui tient la main gauche. Les deux femmes se ressemblent beaucoup. Même longue silhouette, mêmes cheveux blonds coupés courts, mêmes yeux attirants.

L'appartement ancien est grand, sans beaucoup de meubles. À la fenêtre, on voit l'église du Sacré-Cœur. Il y a des livres et des papiers partout mais le flic ne voit ni ordinateur, ni télévision. Oscar commence d'une voix douce et grave :

– Votre mari avait-il des problèmes en ce moment ?

– Des problèmes ?...

Long silence avant que Natascha ne trouve ses mots :

---

39. Type (n.m.) : *Homme. (fam.)*
40. Veuve (n.f.) : *Femme dont le mari est mort.*

– Avec Securix, il ne manquait pas de problèmes...

– Il vous parlait beaucoup de son travail ?

– Non, pas trop. Laurent a toujours été secret.

– Il sortait le soir sans vous ? Pour boire un verre avec des collègues ou des amis ?

– Non, il n'avait pas le temps. Il travaillait beaucoup. Et il ne buvait pas d'alcool. Ça le rendait malade.

– Vous a-t-il appelée hier soir ?

– Non, il devait rester au bureau tard, comme tous les jours. Il rentrait souvent vers minuit.

D'un coup, Oscar se lève pour faire un tour de l'appartement. Natascha Leprince l'observe, surprise. Elle n'a pas l'énergie de le suivre et reste sur le canapé.

Le flic inspecte les lieux comme s'il voulait acheter l'appartement. Il sait très bien qu'il n'a pas le droit de faire ça, mais il rentre quand même dans la chambre et jette un rapide coup d'œil[41]. Dans l'entrée, il s'arrête devant une grande photo de Laurent et Natascha, bronzés[42], sans doute en vacances. Il revient vers les deux femmes dans le salon et demande :

– Il n'y a pas d'ordinateur chez vous ? Votre mari ne travaillait pas à la maison ?

– J'ai juste un PC portable pour mon travail. Securix est à cinq minutes à pied. Laurent préférait travailler là-bas.

– Et que faites-vous dans la vie ?

– Je suis traductrice. Je suis d'origine allemande.

---

41. Jeter un coup d'œil (expr.) : *Regarder rapidement.*
42. Bronzés (adj.) : *La peau d'une couleur foncée à cause du soleil.*

– Vous connaissiez votre mari depuis longtemps ?

– Depuis cinq ans. Je l'ai rencontré en vacances, à l'île de Ré.

– Cinq ans, c'est peu. Vous connaissiez bien votre mari ?

– On vivait ensemble depuis quatre ans. On parlait de beaucoup de choses…

– Mais vous me dites que votre mari était secret, l'interrompt Oscar.

– Oui, oui, répond-elle, légèrement agacée. Il ne parlait pas beaucoup du boulot, de sa famille ou de ses anciennes copines.

– C'est bien ce que je vous disais ! Vous ne connaissiez pas très bien votre mari, lance Oscar, sûr de lui.

Natascha a un mouvement de recul. Sa sœur lance un regard noir à Oscar. Le flic en profite pour faire une pause. Il retourne dans l'entrée de l'appartement. Il ouvre une grande armoire. À l'intérieur se trouve une quinzaine de paires de chaussures de sport. Elles sont presque neuves et de toutes les couleurs. Oscar les trouve vraiment très moches.

Il retourne en silence vers Natascha et la surprend d'une voix forte :

– Votre mari connaissait-il des gens un peu bizarres ?

– Je ne vois pas ce que vous voulez dire.

– Il n'avait pas d'ennemis ?

La jeune femme réfléchit quelques secondes :

– Des ennemis ?… non, mais de nombreux concurrents…

– Il gagnait beaucoup d'argent avec Securix ?

– Oui, oui… Les concurrents de Securix n'aimaient pas Laurent. Ils lui reprochaient de leur prendre des clients en baissant trop les prix.

– Vous pouvez être plus précise ? Qui lui en voulait ?

– Je n'en sais rien… Laurent me disait souvent qu'avec les entreprises du quartier, c'était la guerre. Dans l'immeuble où se trouve Securix, il n'y a que des entreprises informatiques. Tout le monde boycottait Laurent. On ne lui parlait pas.

Natascha Leprince semble épuisée. Le lieutenant Tenon comprend qu'il doit partir. Il ne peut s'empêcher de poser encore une question :

– Votre mari avait-il un comportement étrange ces derniers jours ?

– Non, je n'ai rien remarqué, dit Natascha entre deux sanglots[43].

– Rien d'anormal donc ?

– … Ah si, peut-être…

La jeune femme observe sa sœur, puis Oscar.

– Nous avons reçu une photo de classe par la poste, la semaine dernière… Dans l'enveloppe, il n'y avait ni mot, ni signature. Sur la photo, on voit Laurent en classe de terminale au lycée… Il avait les cheveux longs. J'ai eu du mal à le reconnaître.

– Votre mari a-t-il été surpris de recevoir cette photo ?

– Oui, un peu. On s'est dit que ça devait venir d'un site Internet pour retrouver ses copains d'école. Et puis on n'en a plus reparlé.

---

43. Sanglot (n.m.) : *Sorte de gros soupir accompagné de larmes.*

# 4

Oscar Tenon a une arme secrète : Asafar Boulifa. Ils se connaissent depuis plus de vingt ans. Ils étaient à l'école ensemble. Asafar n'est pas un grand fan de la police mais il ne peut rien refuser à Oscar, son seul et unique ami. Asafar est un bon gars, un peu timide, qui aime rendre service.

Asafar Boulifa est d'origine kabyle. Il a trente-deux ans et les femmes lui font encore un peu peur. C'est un solitaire. Il n'est pas très beau et son long nez le complexe. En revanche, il est fier de son corps et fait de la musculation toute la journée. Il transpire beaucoup et prend donc souvent des douches, trois ou quatre fois par jour.

Asafar vit dans le XV$^e$ arrondissement, pas très loin de chez Oscar. De son appartement, il voit le parc Georges Brassens. Il est confortablement installé dans un studio moderne de 60 mètres carrés avec terrasse. Il travaille chez lui, devant trois ou quatre ordinateurs à la fois.

Asafar gagne beaucoup d'argent. Il crée des jeux vidéo. Pour être plus précis, il anime des personnages dans des jeux de combat. Il n'imagine rien, aucune aventure, aucun scénario. Il programme seulement les héros pour qu'ils se bagarrent[44] de façon réaliste. À Paris, il est le meilleur dans son domaine.

Asafar n'a pas besoin de travailler tous les jours. Et Oscar sait comment utiliser le temps libre de son ami.

19 h 48. Après une promenade autour du canal Saint-Martin, le lieutenant Tenon se dirige à Mobylette vers le sud de Paris. Il aime terminer ses journées de travail chez Asafar. Ils rient et parlent beaucoup. Et ils travaillent de façon décontractée[45] sur les enquêtes d'Oscar.

Le flic n'utilise jamais d'ordinateur. C'est Asafar qui s'en occupe pour lui. Le jeune Kabyle a piraté[46] le serveur[47] Internet de la brigade criminelle. Il peut donc consulter les boîtes mail d'Oscar et de tous ses collègues.

Ce soir, rien de très intéressant sur les messageries. Oscar fait le point sur le meurtre de Laurent Leprince.

---

44. Se bagarrer (v.) : *Se battre.*
45. Décontractée (adj.) : *Détendue, calme.*
46. Pirater (v.) : *Ici, attaquer ou copier illégalement un site Internet, un logiciel ou un serveur.*
47. Serveur (n.m.) : *Ici, ordinateur connecté à un réseau et qui stocke les données et les programmes qui peuvent être utilisés par les autres ordinateurs.*

– Leprince n'était pas aimé de ses concurrents, c'est vrai, mais est-ce vraiment un mobile[48] ?

– En matière de sécurité informatique, on ne doit pas avoir des amis partout, affirme Asafar.

– Oui, il faut que tu fasses des recherches dans ce domaine. Securix travaillait avec les militaires, ils vendaient des logiciels inviolables. Il a peut-être rencontré des gens trop puissants pour lui.

Depuis l'âge de huit ans, Asafar a toujours eu un ordinateur. Aujourd'hui, il tape sur un clavier extrêmement vite. Et surtout, il peut pirater presque tous les sites Internet. C'est un anarchiste du web. Pour lui, tout est libre et gratuit. Police, banques, assurances, impôts[49], il peut tout savoir sur tout le monde. En fait, l'entreprise Securix lutte contre les délinquants[50] informatiques comme Asafar.

– Je vais essayer de rentrer sur la messagerie de Securix. On en saura un peu plus après, affirme Asafar, sûr de lui. Donne-moi aussi le numéro de téléphone portable de Leprince. Je vais regarder ses appels, ses sms et les messages sur son répondeur[51].

---

48. Mobile (n.m.) : *Une raison qui pousse à agir (ici, à commettre un crime).*
49. Impôt (n.m.) : *Argent que l'on paie à l'État et qui sert à financer les dépenses publiques.*
50. Délinquant (n. m.) : *Personne qui fait des choses interdites par la loi.*
51. Répondeur (n.m.) : *Appareil qui enregistre les messages téléphoniques quand on ne décroche pas.*

—J'aurais aussi besoin d'informations sur sa femme, Natascha, et sur les cinq personnes qui travaillaient à Securix.

Oscar écrit les noms des employés de Securix sur un petit bout de papier. Il sait qu'il fait des choses illégales[52] avec Asafar. En France, la loi protège la vie privée des citoyens. Mais il veut aller vite. Ses collègues de la brigade criminelle vont faire des demandes officielles, remplir des formulaires. Ils obtiendront les mêmes renseignements qu'Asafar, en respectant la loi, mais en perdant un ou deux jours.

Le jeune flic s'étend sur le canapé et desserre le nœud de sa cravate. Il ferme les yeux pour une sieste de quelques minutes. Le bruit des doigts sur le clavier[53] le berce doucement.

21 h 52. Oscar Tenon a dormi soixante-sept minutes. Asafar est encore devant son ordinateur. L'imprimante à côté de lui sort des pages et des pages. Oscar n'aime pas lire sur un écran d'ordinateur. Asafar imprime donc toutes les informations qu'il trouve.

—Tu as des choses intéressantes ? demande Oscar d'une voix endormie.

—Je n'ai pas réussi à me brancher[54] sur le serveur de Securix. Laurent Leprince était un vrai paranoïaque. Peut-être en travaillant toute la nuit, mais je ne suis

52. Illégales (adj.) : *Interdites, contraires à la loi.*
53. Clavier (n.m.) : *Ici, ensemble des touches d'un ordinateur.*
54. Se brancher (v.) : *Se connecter.*

pas sûr… J'ai imprimé la liste des communications sur son portable. Il téléphonait assez peu. Par contre, une femme l'a appelé plusieurs fois ces dernières semaines. Elle s'appelle Maud Dupuis. Si tu veux, je connais quelqu'un qui pourra nous avoir les enregistrements[55] du répondeur de Leprince.

– Bien sûr que ça m'intéresse, répond Oscar.

– Mais il faudra attendre demain et donner à mon ami un billet de 100 euros…

Oscar ne répond rien, il est habitué à ces arrangements.

– Tu verras, j'ai imprimé son relevé de compte en banque[56], poursuit-il. Rien de très original. Leprince gagnait 8 000 euros par mois mais ne dépensait pas grand-chose. Il avait un loyer de 2 500 euros.

– Pas de dépenses importantes, donc? demande Oscar.

– Non, à part ses impôts. Il payait environ 20 000 euros par an.

Asafar tend une épaisse pile de papiers.

– Tout ce que j'ai trouvé est là, dit-il, le sourire aux lèvres. Tu as de quoi lire. Il y a des renseignements sur ses employés et sur toutes les entreprises installées au 23 rue Dieu. Une petite chose intéressante: l'année

---

55. Enregistrement (n.m.): *Ici, les messages laissés sur le répondeur.*
56. Relevé de compte en banque: *Document bancaire où sont notées les opérations qui ont été faites sur le compte (l'argent déposé ou retiré).*

dernière, Matthias Rossi, l'employé de Securix, a été condamné à deux mois de prison avec sursis[57] pour violence. Rien de très grave ! Juste une bagarre en discothèque…

– Ce n'est pas à négliger, dit Oscar d'un air songeur[58].

– Sinon, les autres employés sont sans histoire. Comme Natascha Leprince, d'ailleurs. Je t'ai imprimé ses mails.

– La police nationale française te remercie, lui dit Oscar de façon militaire.

– Ah, j'oubliais… Le rapport d'autopsie de Leprince vient d'arriver sur la boîte mail du commissaire Brochant. Il y a deux ou trois choses qui vont t'intéresser…

---

57. Prison avec sursis : *Peine de prison qui n'est pas exécutée sauf si la personne est à nouveau condamnée (la personne ne va en prison que si elle commet encore un autre délit).*
58. Songeur (adj.) : *Rêveur, pensif.*

# 5

Le lieutenant de police Oscar Tenon habite presque encore chez sa maman. Il vit à Malakoff, derrière le périphérique, la vilaine[59] autoroute qui encercle Paris. C'est un quartier de pavillons[60] aux petites rues calmes, à moins de cent mètres de la capitale et du XV<sup>e</sup> arrondissement[61]. L'ancienne banlieue « ouvrière »[62]. Oscar Tenon habite une petite maison de deux pièces, au fond du jardin d'Yvonne Tenon. La grosse maison pour maman, la petite pour son fils. À moins de vingt mètres l'une de l'autre.

Oscar ne rend visite à sa mère que le dimanche midi, pour déjeuner. Par contre, Yvonne vient régulièrement

---

59. Vilaine (adj.) : *Laide.*
60. Pavillon (n.m.) : *Petite maison à l'extérieur des grandes villes, en général avec un jardin.*
61. Arrondissement (n.m.) : *La ville de Paris est divisée en plusieurs parties administratives appelées « arrondissements ».*
62. Banlieue ouvrière : *Partie urbanisée autour d'une ville, habitée surtout par des ouvriers, des travailleurs.*

remplir le réfrigérateur de son fils avec des plats cuisinés. Toujours en son absence. Et elle est curieuse… Oscar se dispute souvent avec sa maman à ce sujet. Le jeune flic passe son temps à surveiller les gens, suspects ou témoins. Il ne supporte donc pas d'être surveillé à son tour. Mais Yvonne a du mal à comprendre. Elle aime trop son fils pour être psychologue.

23 h 54. Chez lui, Oscar Tenon se brosse les dents. Il est vêtu d'un pyjama à rayures. Après sa sieste chez Asafar, il n'a pas sommeil. Cependant, il se couche dans son lit *king size*. D'habitude, il lit pendant une ou deux heures. Il adore les romans historiques. Mais ce soir, son histoire s'est déroulée la nuit dernière.

Le rapport d'autopsie de Laurent Leprince est précis. La victime est morte de noyade vers 0 h 30. Il y avait de l'eau dans ses poumons. Et de l'alcool dans son sang. Le jeune homme était ivre[63] au moment de sa mort. Le médecin légiste pense qu'il a bu environ un litre de bière. Étrange pour quelqu'un que l'alcool rendait malade…

Les coups sur son visage n'ont pas provoqué directement sa mort. Mais indirectement ? Oscar pense à une agression, une bagarre qui finit mal. Un coup de poing plus fort qu'un autre. La victime trébuche[64] et tombe à l'eau. Ou bien l'assassin pousse volontairement Laurent

---

63. Ivre (adj.) : *Sous l'effet de l'alcool.*
64. Trébucher (v.) : *Perdre l'équilibre, faire un faux pas.*

Leprince dans le canal… Mais pourquoi était-il en chaussettes ?

Une mauvaise rencontre ? Un client mécontent ? Un employé maltraité ? Un mari jaloux ? Un concurrent qui travaille 23 rue Dieu ou ailleurs ? En tout cas, pas un voleur : on a retrouvé un téléphone portable, une carte de crédit et 60 euros en billets sur le corps.

Point positif pour l'enquête, Laurent Leprince s'est défendu. Il a donné des coups avant de tomber dans le canal. Son pouce droit est fracturé[65] et le dessus de sa main abîmé. Par chance, il n'est pas resté assez longtemps dans l'eau pour que les traces de sang disparaissent. Sur ses doigts, on a retrouvé du sang de groupe O-. Laurent Leprince, lui, fait partie du groupe A+.

Avec l'ADN retrouvé, impossible de se tromper de coupable[66]. Les ordinateurs de la police sont certainement en train d'explorer le fichier ADN des délinquants. Si l'assassin de Laurent Leprince a déjà été condamné par la justice, son nom sera connu dès demain matin.

Et Matthias Rossi a été condamné par la justice… Oscar ne sait pas trop quoi penser de lui. Il a l'air décontracté et sympathique mais il a déjà envoyé un homme à l'hôpital.

---

65. Fracturé (adj.) : *Cassé.*
66. Coupable (n.m.) : *Celui qui a commis une faute, un délit ou un crime.*

Oscar se souvient d'une chose que le jeune employé de Securix lui a dite :

– L'informatique, ce sont des programmes, des suites de 0 et de 1. Noir ou blanc, jamais gris. C'est un univers assez violent, en fait.

– Vous ne vous tuez pas à la mitraillette[67], tout de même ! avait répondu Oscar.

– Non, mais on lance des bombes et des virus, on se cache derrière des murs de feu. On s'espionne. On peut détruire des ordinateurs, des données, des réseaux, des entreprises…

Oscar s'interroge. Matthias Rossi est-il parti de Securix à 20 h 30, comme il l'a affirmé ? Il s'est peut-être disputé avec son patron, au bureau, sans témoin. On se dispute beaucoup au travail mais on se tue assez peu. Il faut de bonnes raisons pour donner des coups de poing à son patron. Sans parler de le jeter dans le canal en plein hiver. Le jeune Rossi volait-il dans la caisse de Securix ? Espionnait[68]-il Securix pour une autre entreprise ? Exerçait-il un chantage[69] sur Laurent Leprince ?

Mais Oscar n'imagine pas Matthias Rossi dire à son patron : « Venez au bord du canal boire une bière avec moi. On va s'expliquer. » Vers 20 h 30, des témoins auraient vu les deux hommes se battre dans la rue. De

---

67. Mitraillette (n.f.) : *Arme à feu automatique.*
68. Espionner (v.) : *Surveiller en secret.*
69. Exercer un chantage : *Faire chanter, obliger quelqu'un à faire quelque chose en le menaçant de révéler des informations sur lui.*

plus, Laurent Leprince a frappé son assassin. Et Rossi ne semblait pas blessé au visage.

Le flic ne poursuit pas plus loin sa réflexion sur Rossi. Inutile de perdre du temps. Avec les résultats des tests ADN, on saura demain matin avec certitude s'il est coupable.

Parmi toutes les pages imprimées par Asafar, l'une d'elles attire l'attention d'Oscar Tenon. Il s'agit du rapport de la police scientifique. Sur la page 3, il trouve un schéma[70] avec le canal, l'emplacement du corps dans l'eau, un banc, des cannettes de bière et des mégots symbolisés.

Deux canettes de bière vides de 50 cl ont été retrouvées au bord de l'eau, près de l'endroit où la victime a dû tomber. Elles portent des traces de deux salives[71] différentes. Des analyses sont en cours pour savoir si l'une d'elles appartient à Laurent Leprince. L'autre salive correspond peut-être au mystérieux homme de groupe sanguin O-. L'assassin aurait donc bu une bière avec Leprince avant de le frapper et de le jeter dans le canal. Le flic a du mal à y croire.

En fait, Oscar est aussi curieux que sa mère. Il aime fouiller[72] dans la vie des gens : lire des relevés de compte en banque, des listings d'appels téléphoniques, écouter les répondeurs… Asafar a imprimé tous les comptes

---

70. Schéma (n.m.) : *Dessin simplifié.*
71. Salive (n.f.) : *Liquide produit dans la bouche.*
72. Fouiller (v.) : *Explorer avec soin.*

bancaires des cinq employés de Securix. Seul élément intéressant, Steve Works a reçu 55 000 euros, il y a une semaine. C'est une grosse somme. Difficile de savoir qui est le généreux donateur. L'argent provient du compte 40000500715000084963257Wyley. On se cache souvent pour transférer de l'argent, comme si c'était aussi laid que d'aller faire ses besoins aux toilettes. Mais Asafar est très fort. Il a découvert qui se cachait derrière ce numéro de compte : une société basée à Londres. Wyley Bross Inc. Cependant, le jeune Kabyle n'a pas encore eu le temps d'approfondir son enquête.

0 h 54. Oscar n'a pas sommeil. Perplexe[73], il réfléchit. Demain, il ira dans les épiceries arabes du quartier pour tenter de savoir où et à quelle heure la bière a été achetée. Par qui ? Laurent Leprince ou son assassin ? Il parlera aussi avec les personnes âgées du quartier. Elles ont souvent du mal à s'endormir. On promène tard le chien, on tourne en rond dans son appartement, on observe la rue de sa fenêtre, on écoute…

1 h 29. Oscar s'endort enfin, la lumière allumée, avec tous les papiers d'Asafar sur son lit. Il a oublié de mettre son réveil à sonner.

---

73. Perplexe (adj.) : *Indécis, qui ne sait pas quoi penser.*

# 6

Mercredi 15 février 2012. 8 h 27. La sonnette[74] de la porte d'entrée résonne depuis quinze secondes. Oscar a du mal à se réveiller. Quelqu'un tape à la porte avec énergie. Ce n'est certainement pas sa maman. En général, elle est plus discrète. Et Oscar lui a interdit de venir chez lui sans prévenir. Si jamais il ramène une copine à la maison, il n'a pas du tout envie que maman leur serve le petit déjeuner au lit.

Oscar se frotte les yeux, assis sur son lit. Avant un grand bol de café noir, il ne sait rien faire. Les coups sur la porte se poursuivent. Oscar se décide enfin à aller ouvrir. Asafar Boulifa est là, les joues rouges et le front en sueur[75]. Il a du mal à respirer et ne peut pas parler. Il est sans doute venu en courant. Mais Oscar Tenon n'est pas d'humeur[76] à dialoguer avec son ami.

---

74. Sonnette (n.f.) : *Clochette ou timbre pour annoncer son arrivée.*
75. Sueur (n.f.) : *Transpiration, liquide qui s'écoule quand il fait chaud ou quand on fait un effort physique important.*
76. Ne pas être d'humeur (expr.) : *Ne pas avoir envie.*

– Bon, tu respires tranquillement, je prépare le café.
On parlera après…

– Mmmh… répond difficilement Asafar.

Le flic tourne le dos à son ami et se dirige vers le
coin cuisine.

8 h 44. Un grand bol de café à la main, Oscar, en
pyjama, et Asafar, en survêtement jaune Adidas, se
font face. Asafar a retrouvé son souffle et peut donc
parler :

– J'ai fait un petit jogging. J'en ai profité pour t'amener les derniers éléments de l'enquête sur Leprince.

Asafar sort des papiers froissés[77] de son sac.

– Bon, première chose, l'ADN retrouvé sur la main
de Laurent Leprince n'est pas dans le fichier ADN des
personnes condamnées. Ce n'est pas le sang de Matthias
Rossi que l'on a retrouvé. Tes collègues de la brigade
criminelle ont vérifié. Matthias est O+.

– Je ne suis pas surpris, répond Oscar en trempant
un biscuit dans son café.

– Mais tes collègues ont décidé d'enquêter sur lui.
Ils veulent vérifier son alibi[78]. Le commissaire Brochant
pense que Rossi avait peut-être un complice[79] du groupe
sanguin O-.

---

77. Froissés (adj.) : *Abîmés.*
78. Alibi (n.m.) : *Preuve de la présence de quelqu'un dans un autre
endroit que celui où le crime a été commis.*
79. Complice (n.m.) : *Personne qui aide quelqu'un à faire quelque
chose d'illégal.*

– C'est possible, j'y ai pensé hier soir. Matthias Rossi pouvait faire venir un de ses amis à Securix, vers 20 h 30.

– En plus, on a retrouvé dans le bureau de Leprince le fameux groupe O-. Une toute petite trace de sang, sur la poignée de la porte.

– Très intéressant, murmure Oscar. Ça signifie que Laurent Leprince s'est battu avec son assassin dans son bureau.

– Oui, mais pourquoi l'a-t-on alors retrouvé dans le canal, cinquante mètres plus loin ?

– Je n'imagine pas l'assassin porter Leprince sur son dos, dans la rue, en plein Paris, pour aller le jeter dans l'eau. Quelqu'un l'aurait vu. Et puis comment expliquer les canettes de bière retrouvées à côté du cadavre ?

– D'ailleurs, tu as reçu un mail de la police scientifique à ce sujet. C'est bien la salive de Leprince qu'ils ont retrouvée sur les deux canettes. Sur une des deux, il y a aussi la salive d'une autre personne. Et ce n'est pas la salive de notre inconnu de sang O-. Et ce nouvel inconnu n'est pas non plus dans le fichier ADN.

Oscar peine à se réveiller et toutes ces informations l'agressent un peu. Il finit sa tasse de café d'une longue gorgée[80]. Il observe Asafar et lui dit, la voix absente :

– Va prendre une douche. Il faut que je réfléchisse.

---

80. Gorgée (n.f.) : *Quantité de liquide que l'on avale en une seule fois.*

– Attends un peu, j'ai encore quelque chose de très intéressant pour toi…

– On verra après, réplique Oscar.

– OK, répond Asafar. Et une douche me fera du bien. J'ai l'impression de sentir mauvais.

– Ce n'est pas faux…

Oscar s'assoit confortablement dans son canapé en velours, un journal de mots fléchés[81] et un stylo à la main. Après le café, c'est une habitude. Il redémarre son cerveau en faisant des mots fléchés de force 2, pas trop difficiles pour ne pas se fatiguer. En même temps, il pense à tout et à rien. Il imagine Laurent Leprince en chaussettes, les pieds sur son bureau. Après le départ de Matthias Rossi, le patron de Securix avait peut-être un rendez-vous. Ou un visiteur imprévu est entré chez Securix ? Une chose est sûre, au moins deux personnes sont impliquées[82] dans le meurtre : le sang retrouvé sur la main de Laurent Leprince et la salive de la canette le prouvent.

Asafar ressort de la salle de bains, une serviette sur la tête. Il a enfilé son tee-shirt et son survêtement jaune.

– Ça fait du bien, mais mes vêtements sont pleins de sueur. Je reprendrai une douche chez moi.

– Je n'en doute pas, répond Oscar.

---

81. Mots fléchés : *Jeu où il faut deviner des mots et les écrire dans une grille.*
82. Impliquées (adj.) : *Mêlées, engagées (ont participé d'une manière ou d'une autre au meurtre).*

– Ah oui, je voulais te dire, tes deux collègues Martin et Corti, ils ne t'aiment pas beaucoup. J'ai examiné leurs boîtes mail et ils te cachent des choses.

– Ça ne m'étonne pas de ces salauds[83]!

– En résumé, le centre des impôts du Xe arrondissement a ouvert une enquête sur Securix pour fraude fiscale[84]. Les agents du fisc[85] ont découvert des problèmes comptables et ils ont reçu une lettre anonyme[86].

Oscar se sent soudain réveillé par l'information.

– Corti et Martin voulaient me cacher ça?

– Non, pas du tout, tu as l'information sur ta boîte mail.

– Alors où est le problème?

– Bah, ils ont réussi à avoir un double de la lettre anonyme au centre des impôts.

– Si la lettre est anonyme, ce n'est pas très utile…

– Si, c'est intéressant. Corti a envoyé par mail la page scannée à Martin. Je l'ai récupérée[87]. C'est un texte tapé à l'ordinateur. Si on a deux ou trois suspects, en examinant leurs PC, on saura si c'est eux qui ont écrit la lettre. En plus, tes collègues ont appris qu'il n'y avait pas de timbre sur l'enveloppe. La lettre a été déposée directement dans la boîte de Securix.

---

83. Salaud (n.m.) (injure): *Personne méprisable, sans morale.*
84. Fraude fiscale: *Forme de délinquance où on essaie de payer moins d'impôts de manière illégale.*
85. Fisc (n.m.): *Administration spécialisée dans les impôts.*
86. Anonyme (adj.): *Qui n'a pas de nom, ici, qui n'est pas signée.*
87. Récupérer (v.): *Prendre, ramasser.*

– Trop fort ! Tu devrais travailler dans la police.

– Tu devrais surtout me donner une partie de ton salaire, répond Asafar en souriant. Voici la lettre anonyme. Le type qui a écrit ça n'aimait pas du tout Laurent Leprince.

*Paris, le 31 janvier 2012*

*Il est urgent d'enquêter sur Securix et son P.-D.G.*[88] *Laurent Leprince. Faites votre métier : mettez les voleurs en prison. Les comptes de Securix sont truqués*[89]. *Leurs clients sont arnaqués*[90]. *Laurent Leprince vend des logiciels volés à ses concurrents. Agissez vite, pour le bien de tout le monde.*

---

88. P.-D.G. (n.m.) : *Président-directeur général, dirigeant d'une entreprise.*
89. Truqués (adj.) : *Faussés.*
90. Arnaqués (adj.) : *Escroqués, volés.*

# 7

13 h 32. Dehors, il ne fait que deux degrés celsius et pourtant, Oscar Tenon a très chaud. De la sueur coule sur son front. Les pieds sur un rebord d'une dizaine de centimètres, le flic est accroché à une gouttière[91], au troisième étage de l'immeuble où habitait Laurent Leprince. Il est à une dizaine de mètres au-dessus du sol.

Oscar n'a pas le vertige[92] mais il ne sait plus comment avancer. Ses jambes tremblent de fatigue. Il ne lui reste pourtant que deux ou trois mètres pour atteindre la fenêtre de la salle de bains des Leprince. Elle est entrouverte. L'avantage d'être petit : Oscar pense pouvoir glisser à l'intérieur sans problème. Il avance, centimètre par centimètre, sur le rebord et doit lâcher la gouttière. Plus rien pour s'accrocher.

---

91. Gouttière (n.f.) : *Sorte de tuyau ouvert, situé à la base d'un toit pour recueillir les eaux de pluie.*
92. Vertige (n.m.) : *Impression de perte d'équilibre quand on regarde dans le vide, peur du vide, peur d'être en hauteur.*

Oscar Tenon n'a pas du tout envie de mourir…

Quand il recherche un meurtrier, il ne respecte pas la vie privée des gens. Ce matin, il a décidé de rendre visite à Natascha Leprince, sans rendez-vous. La jeune femme étant absente, il a inspecté l'immeuble et la cour. Il a vu cette fenêtre de salle de bains entrouverte. La tentation était trop grande. Il a escaladé[93] l'immeuble à partir d'une fenêtre du deuxième étage, dans la cour.

… Plus que quelques centimètres avant d'atteindre la salle de bains. Oscar ne se sent pas bien. Il fixe le ciel de peur de regarder le sol, dix mètres en dessous. Il fait une pause, les yeux fermés, le dos collé au mur. Puis, d'un dernier pas interminable, il atteint la fenêtre de la salle de bains. Il est sauvé.

D'un geste sec, le lieutenant de police Tenon débloque l'ouverture de la fenêtre. Il sait qu'il aura de gros ennuis si on le trouve dans l'appartement des Leprince. Mais il est toujours excité quand il rentre chez quelqu'un en son absence. Un peu comme sa maman, sans doute. S'il n'avait pas été flic, Oscar Tenon aurait sans doute été un très bon cambrioleur[94]. Élégant et discret.

Aucun bruit. L'appartement est bien inoccupé. Oscar inspecte rapidement la cuisine. Pas de vaisselle sale dans l'évier. Tout est impeccablement rangé. Pas de

---

93. Escalader (v.) : *Grimper en haut de quelque chose, monter.*
94. Cambrioleur (n.m.) : *Voleur qui entre dans une habitation.*

bière dans le réfrigérateur mais beaucoup de légumes frais et de fromages.

Soudain, le flic est surpris par un bruit sourd. Par réflexe, il s'accroupit[95] derrière la porte et attend quelques secondes. Il imagine Natascha entrer dans la cuisine et hurler. Mais rien. En se concentrant, il entend une discussion, au loin. Puis les bruits sourds reprennent… Soudain, il comprend. Oscar se détend d'un coup. Ce sont les voisins du dessus qui déplacent sans doute un meuble. On les entend marcher. Avec la mauvaise isolation[96] des vieux immeubles parisiens, on a souvent l'impression de vivre chez ses voisins.

En fait, Oscar se demande bien ce qu'il cherche. Après la cuisine, il examine rapidement les papiers sur le bureau du salon. Beaucoup de textes en allemand, des photos de peintures anciennes. Sans doute le travail de Natascha. Dans tout cela, il sent qu'il ne trouvera rien. Peut-être cette photo de classe envoyée par un inconnu… Elle est posée sur un tas de feuilles. Il l'observe en détail et reconnaît Laurent Leprince.

Oscar se dirige ensuite vers la chambre : un grand placard contient les affaires du couple. Soigneusement pliées et empilées. Oscar n'ose pas mettre les vêtements en désordre. Et pour trouver quoi : des liasses[97] de billets de 500 euros ? des armes ? de la drogue ? Il regarde sous

---

95. S'accroupir (v.) : *S'asseoir sur ses talons.*
96. Isolation (n.f.) : *Protection contre le bruit dans une habitation.*
97. Liasse (n.f.) : *Paquet, ensemble de feuilles, de billets.*

le lit : rien. Il va à droite à gauche, comme un animal perdu. Il ouvre les placards de l'entrée sans conviction[98]. Les minutes s'écoulent et Natascha Leprince peut rentrer chez elle à tout moment.

Oscar se sent ridicule. Son instinct lui dit qu'il a fait une bêtise en rentrant dans cet appartement. Ses collègues obtiendront officiellement l'autorisation d'inspecter les lieux. Il décide de partir avant qu'il ne soit trop tard. Pourtant, il n'imagine pas repasser par la fenêtre de la salle de bains. Le plus simple sera donc le mieux.

13 h 59. Oscar sort par la porte de l'appartement de Laurent Leprince. Bien sûr, il ne peut fermer à clé. Il espère que Natascha, encore sous le choc de la mort de son mari, ne remarquera rien.

Personne au troisième étage. Oscar Tenon a de la chance. En revanche, au premier, il croise un adolescent, un casque de lecteur mp3 sur les oreilles. Mais absorbé par la musique, le gamin ne fait pas attention au flic en sueur.

Dans la rue de la Grange-aux-Belles, Oscar est en colère contre lui-même. Il longe les grands murs de l'hôpital Saint-Louis construit par Henri IV pour isoler les malades de la peste au XVII$^e$ siècle. En posant directement des questions à Natascha, il en aurait plus appris qu'en rentrant chez elle illégalement. Et il aurait respecté la loi. Pour certains, c'est une évidence[99], un flic

---

98. Sans conviction : *Sans être sûr de lui, sans y croire vraiment.*
99. Évidence (n.f.) : *Quelque chose de clair, qui ne fait pas de doute.*

doit avoir un comportement irréprochable[100]. Oscar, lui, a du mal. Il espère maintenant que Natascha ne s'apercevra pas de sa visite.

Autour du canal et de la rue Dieu, Oscar compte quatre épiceries arabes. Le propriétaire peut être d'origine maghrébine, turque, ou chinoise, on l'appellera toujours « l'arabe du coin ». L'alcool y est plus cher qu'au supermarché, mais il reste ouvert tard le soir. Et il n'y a pas d'heure pour avoir soif.

Hier, après la découverte du corps de Laurent Leprince, les collègues d'Oscar ont commencé l'enquête de voisinage. Ils ont certainement interrogé les épiciers mais Oscar veut repasser les voir, tout comme les concierges[101] des immeubles aux alentours. Il a tout son temps. Il décide de passer l'après-midi dans le quartier.

Le premier épicier à qui il rend visite vient d'ouvrir son petit magasin. Il se situe à deux minutes à pied du lieu du crime. L'homme, d'une quarantaine d'années, accueille Oscar avec le sourire. La carte de police ne lui fait pas peur.

Pour lui, rien à signaler le soir du meurtre. Quelques personnes sont venues lui acheter de l'alcool mais moins que l'été où on s'assoit au bord du canal pour boire et discuter jusque tard dans la nuit.

---

100. Irréprochable (adj.): *À qui on ne peut pas faire de reproches, sans défauts.*
101. Concierge (n.): *Personne qui garde un immeuble.*

Oscar lui tend la photo de Laurent Leprince :

– Avez-vous vu ce monsieur, lundi soir ?

– Non… je ne pense pas. Vous savez, je ne connais pas tous mes clients…

– Et le type sur la photo, imaginez-le avec un gros anorak brillant et un bonnet rouge ?

– Non, je ne l'ai pas vu, c'est sûr…

Le deuxième épicier qu'Oscar interroge est une femme d'environ cinquante ans. Ce n'est visiblement pas une bavarde et elle lance sèchement au flic :

– Si c'est pour le mort qu'ils ont repêché[102] hier, je n'ai rien vu.

– J'ai juste besoin de quelques renseignements, dit modestement Oscar.

– Mouais…

– Vous avez eu beaucoup de clients le soir du meurtre ?

– Peut-être une quinzaine. Il faisait froid, il n'y avait personne dans la rue.

Oscar lui tend la photo de Laurent Leprince mais la commerçante ne le reconnaît pas. Le flic repose alors la question :

– Et ce type sur la photo, imaginez-le avec un gros anorak brillant et un bonnet rouge ?

La femme réfléchit quelques secondes puis, en fixant Oscar dans les yeux, affirme :

---

102. Repêcher (v.) : *Sortir de l'eau quelque chose ou quelqu'un qui y est tombé.*

47

– Le bonnet rouge et l'anorak brillant, oui, mais je ne me souviens pas de ce monsieur.

Le lieutenant de police ne s'attendait pas à une telle réponse. Il hésite quelques instants :

– C'était qui alors ?

– Sous le pont, là-bas, il y a plein de clochards[103] et de S.D.F.[104] Ils viennent souvent m'acheter de la bière ou du vin. C'était un de ces types. Ils sont assez sales. Je n'aime pas trop les servir mais bon…

– Vous êtes sûre ?

– Oui, en plus, ils sont toujours ivres, en train de se battre. Le type avec le bonnet rouge était blessé au visage. Il saignait de la lèvre.

– Il était seul ?

– Oui, je pense.

– Vers quelle heure était-ce ?

– Vers vingt-trois heures. Un peu après peut-être…

– Et que vous a-t-il acheté ?

– Bah, de la bière…

– Regardez bien la photo. Vous êtes sûre que ce n'était pas lui ?

– Mmmm… peut-être… c'est difficile à dire. Il avait l'air plutôt mal, il regardait par terre. Il essuyait sa lèvre avec un mouchoir en papier. Il était pressé de partir.

---

103. Clochard (n.m.) : *Personne sans travail et sans domicile qui vit en mendiant (en demandant de l'argent aux passants).*
104. S.D.F. (n.) : *Personne sans domicile fixe, c'est-à-dire qui vit dans la rue.*

# 8

18 h 53. Chez lui, Asafar Boulifa soulève des poids de cinq kilos. Ses biceps[105] sont gonflés mais il les trouve encore trop petits. La musculation[106], c'est une histoire sans fin. Enfant, Asafar était trop gros. À l'école, ses camarades se moquaient de lui. Il était très complexé.[107] C'est à cette époque qu'Oscar l'a rencontré. Aujourd'hui, finis les complexes. Le ventre d'Asafar est plat et musclé.

Il s'arrête pour ouvrir la porte à Oscar. Le flic est tout excité. Cet après-midi, l'enquête a bien avancé.

— En voyant ton sourire, je pense que tu as de bonnes nouvelles, lance Asafar.

— Oui, j'ai rencontré une épicière qui a peut-être vendu de la bière à Laurent Leprince. C'était vers 23 h.

---

105. Biceps (n.m.) : *Muscle du bras.*
106. Musculation (n.f.) : *Ensemble des exercices permettant de développer les muscles.*
107. Complexé (adj.) : *Qui se sent inférieur aux autres, qui manque de confiance en soi.*

Cela signifie qu'il s'est battu dans son bureau avec un inconnu entre 20 h 30 et 23 h, puis est allé acheter des bières pour les boire près du canal. Là, deux solutions. Soit, le type avec qui il s'est battu le retrouve et le pousse dans l'eau. Soit Laurent Leprince a fait une mauvaise rencontre. Je ne sais pas pourquoi encore, mais je pense que Laurent Leprince connaissait son agresseur. Ce n'est pas un rôdeur[108] entré par hasard chez Securix, à la fermeture des bureaux. Leprince avait peut-être rendez-vous… Le problème, c'est qu'il n'avait pas d'agenda.

– Un type vraiment secret, oui. Un professionnel de la sécurité. Impossible de pirater le serveur de Securix. J'ai encore essayé ce matin. J'en ai parlé à un ami informaticien. On verra ce qu'il peut faire.

– J'espère que tu es resté discret ? demande Oscar.

– Pas de problème. Mon copain ne va pas se vanter[109] partout d'avoir réussi à pirater une entreprise. Il peut aller en prison pour ça ! Certains flics ne sont pas aussi sympas que toi…

Oscar sourit et part dans la cuisine se servir un grand verre d'eau. Quand il revient dans le salon, Asafar lui annonce fièrement :

– J'ai les enregistrements du répondeur téléphonique de Leprince. Et aussi ceux de Maud Dupuis, la femme qui l'a appelé plusieurs fois avant sa mort.

108. Rôdeur (n.m.) : *Personne qui erre en attendant de commettre une mauvaise action, malfaiteur qui profite d'une occasion.*
109. Se vanter (v.) : *Raconter avec fierté.*

– Nous avons donc quelques heures d'avance sur Corti et Martin. Au mieux, ils auront les enregistrements demain soir. Ce n'est pas facile de respecter la loi !

– En tout cas, Leprince n'a appelé cette femme qu'une seule fois et elle a décroché[110]. C'est tout ce que je sais, affirme Asafar.

– C'est bien dommage, déplore Oscar.

– Oui, mais Maud Dupuis a laissé trois messages, sans compter les quatre fois où elle n'a pas laissé de message. Tiens, écoute !

Asafar appuie sur la touche *enter* de son clavier. Une douce voix de femme s'élève des haut-parleurs :

*Bip... C'est Maud à l'appareil... Oui, Maud Dupuis... Il faudrait que tu me rappelles... Bip...*

*Bip... C'est encore Maud Dupuis. S'il te plaît, rappelle-moi rapidement... Bip...*

*Bip... C'est important Laurent. Tu dois comprendre que ce n'est pas fini... Bip...*

Six fois de suite, Oscar demande à Asafar de relire l'enregistrement. Et il écoute en fixant le plafond. Puis Asafar s'impatiente. La septième fois, il interrompt le flic dans ses réflexions :

– Entre le premier et le deuxième message, il y a trois jours d'écart. Entre le deuxième et le troisième, une journée. Au troisième message, Laurent Leprince a rappelé trois minutes après. Et Maud Dupuis a

---

110. Décrocher (v.) : *Ici, répondre au téléphone.*

décroché. La conversation a duré trois minutes cinquante secondes.

– Quel jour était-ce ? demande Oscar.

– Samedi 11 février, dans la matinée.

« *Tu dois comprendre que ce n'est pas fini.* » Maud Dupuis était-elle la maîtresse de Leprince ? Refusait-elle leur séparation ?

– Asafar, j'imagine que tu as l'adresse de Maud Dupuis ?

– Évidemment. Elle habite en banlieue sud, à Évry.

– C'est à combien de kilomètres de Paris ?

– Une vingtaine, peut-être…

– Mmmmh… Ça fait un peu loin pour aller chez elle après le travail et rentrer tranquillement chez sa femme vers minuit. Tu peux me repasser le premier message, s'il te plaît ?

*Bip… C'est Maud à l'appareil… Oui, Maud Dupuis… Il faudrait que tu me rappelles… Bip…*

– Si tu as une liaison avec quelqu'un et que tu lui laisses un message, tu n'as pas besoin de lui laisser ton nom de famille. « Salut, c'est Oscar ! » Ça suffit.

– Et donc ?

– Dans son message, elle s'arrête et dit « Oui, Maud Dupuis ». Comme si elle n'était pas sûre que « Maud » suffise à Laurent Leprince pour savoir qui lui laissait un message.

– Effectivement, ça semble évident…

– Et ça signifie peut-être qu'ils ne se connaissaient pas bien, même si elle le tutoie… ou qu'ils ne se sont pas vus depuis longtemps.

Oscar s'arrête soudain de parler pour desserrer sa cravate, puis reprend ses interrogations :

– Si elle ne connaissait pas bien Laurent Leprince, que signifie « Tu dois comprendre que ce n'est pas fini » ? Difficile d'imaginer une cliente de Securix lui parler comme ça.

Asafar n'a pas de réponse. Il se connecte sur la boîte mail d'Oscar à la brigade criminelle. Le dernier mail est daté de 20 h 16. Il a été écrit par le commissaire Brochant.

*Bonjour Oscar,*

*Venez me voir au Quai des Orfèvres demain. J'ai besoin d'avoir de vos nouvelles.*

*Cordialement*

*J.-C. B.*

# 9

Le 36 quai des Orfèvres a inspiré de nombreux scénaristes de films policiers. Oscar Tenon, lui, déteste cet endroit et tous les films sur la brigade criminelle. Le jeune flic n'apprécie pas le charme de cet immeuble vieillissant sur l'Ile de la Cité, le centre historique de Paris. Depuis un siècle, les plus grands criminels de l'histoire sont interrogés dans les bureaux du quai des orfèvres. Oscar ressent la présence de ces monstres. Des fantômes qui occupent les lieux. Il n'aime donc pas travailler dans son petit bureau, au dernier étage, sous les toits.

Jeudi 16 février 2012. 9 h 50. Le lieutenant de police Oscar Tenon entre sur sa Mobylette dans la cour du Quai des Orfèvres. De nombreuses voitures sont garées en désordre. Oscar salue des collègues d'un geste de la main puis gare sa Mobylette et retire son casque. Rapidement, il recoiffe son brushing[111] en se regardant dans la vitre d'une automobile.

---

111. Brushing (n.m.) : *Coiffure, mise en forme des cheveux à l'aide d'un sèche-cheveux.*

Le commissaire Brochant est de bonne humeur. Assis à son bureau, il accueille Oscar, les bras levés.

– Ahhh… Voilà enfin la star de l'équipe.

– Bonjour, patron, glisse Oscar.

– Je suis content de vous voir. Si vous n'étiez pas venu, j'aurais été en colère.

– Vous savez, c'est toujours un plaisir de vous voir.

– Ne vous moquez pas de moi, Tenon! Asseyez-vous. Je suis impatient d'entendre ce que vous avez appris sur l'affaire Leprince.

– Ça ne fait que deux jours que j'enquête, dit modestement Oscar.

– Vous êtes doué[112], Tenon. En deux jours, je suis sûr que vous avez appris des choses.

Oscar n'a pas très envie de révéler ce qu'il a découvert. Aujourd'hui, il est surtout venu pour s'informer du travail de ses collègues. Mais Brochant ne se contente pas de simples discours. Oscar lui parle donc de la piste de Steve Works, l'employé de Securix qui a touché[113] 55 000 euros avant le meurtre.

Jean-Claude Brochant commence à sourire, puis à rire franchement:

– Vous ne m'apprenez rien, Tenon. Ce type a fait un héritage. Sa grand-mère est morte il y a un an. Vous n'avez rien découvert d'autre?

---

112. Doué (adj.): *Qui a un don, du talent.*
113. Toucher (v.): *Ici, recevoir.*

Oscar ne veut pas parler de l'épicière «arabe» qui a vendu les bières, ni des messages de Maud Dupuis. Il a une journée d'avance sur ses collègues. Il dit alors en souriant:

—Leprince s'est battu dans son bureau mais je ne comprends toujours pas pourquoi il a fini dans le canal. Il me faut plus de temps.

—Comme d'habitude, vous ne voulez rien me dire tant que vous n'êtes pas sûr de vous.

—Je ne veux surtout pas vous ennuyer avec mes interrogations. Et sinon, vous avez découvert des choses avec Corti et Martin?

Brochant, lui, n'a rien à cacher. Il sait travailler en équipe.

—Nous avons saisi la messagerie de Securix. Nous sommes en train d'analyser les mails. Et il y en a beaucoup! Nous avons travaillé avec Corti, Martin et des stagiaires[114] jusqu'à minuit.

Pour une fois, Asafar Boulifa a trouvé plus fort que lui. Il a passé des heures à tenter de pirater Securix. Sans effort, avec un document officiel, la brigade criminelle a obtenu les précieuses données. Et les hommes de Brochant ont déjà appris des choses.

—Apparemment, Securix a des problèmes avec deux entreprises. Une maison d'édition dont ils ont créé le site Internet. La directrice n'est pas contente du *design*.

---

114. Stagiaire (n.): *Personne en formation, qui travaille dans une administration ou une entreprise pendant quelques mois pour apprendre le métier.*

Elle veut tout changer. Elle envoie des mails de protestation tous les jours.

– Et l'autre problème ? demande Oscar.

– C'est compliqué. Des histoires de logiciels[115]. J'ai du mal à comprendre. Un groupement d'informaticiens accuse Securix de vendre des logiciels qui ne lui appartiennent pas. En fait, les logiciels seraient même gratuits. Tout le monde peut les télécharger[116].

– Je ne vois pas où est le problème. Si des gens sont prêts à payer pour des logiciels gratuits, c'est qu'ils sont un peu cons[117], non ?

– Ou alors mal informés, ou bien manipulés[118], propose Brochant.

– Qu'est-ce que signifie « groupement d'informaticiens » ?

– C'est une sorte de coopérative[119]. Sept personnes y travaillent. Chacun a sa propre société mais tous leurs documents administratifs et leurs impôts sont gérés[120] par la coopérative. Ça s'appelle *L'ouverture du net*. Ce sont des voisins de Securix. Leurs locaux sont au 21 rue Dieu.

---

115. Logiciel (n.m.) : *Programme informatique.*
116. Télécharger (v.) : *Prendre un fichier sur un réseau et l'enregistrer sur son ordinateur (download).*
117. Cons (adj.) : *Stupides, idiots. (fam.)*
118. Manipulés (adj.) : *Trompés pour être amenés à faire quelque chose.*
119. Coopérative (n.f.) : *Association de personnes ou d'entreprises qui mettent en commun des moyens (ici la gestion des documents administratifs et des impôts).*
120. Gérer (v.) : *S'occuper de, diriger, organiser.*

Oscar se soulève d'un bond sur sa chaise. La lettre de dénonciation au fisc a été postée dans le quartier du canal. Seuls Martin et Corti sont censés[121] le savoir. Et la lettre anonyme parle d'arnaque et de vol de logiciels...

Pour changer de sujet, Oscar tente de faire de l'humour.

— En tout cas, dans la rue Dieu, il s'est passé des choses pas très catholiques...

— Vous vous trompez, Tenon. Dieu est le nom d'un général français de Napoléon III mort à la bataille de Solferino. Un petit conseil, dans la police, ne négligez aucun détail, mon petit...

Oscar lâche un léger sourire et reprend sa réflexion sur l'enquête :

— *L'ouverture du net* a-t-il attaqué Securix en justice[122] ?

— Non, pour l'instant, ce sont juste des envois de mails pas très sympathiques. Je veux que vous alliez interroger les gens de *L'ouverture du net* dès maintenant.

— OK, je pars tout de suite.

— Oui et ne revenez pas dans trois jours ! Je veux votre rapport ce soir sur ma boîte mail.

---

121. Censés (adj.) : *Supposés.*
122. Attaquer en justice (expr.) : *Porter plainte contre quelqu'un, le mener devant le tribunal.*

# 10

11 h 43. Dieu n'est pas Dieu. Juste un militaire mort en Italie sur un champ de bataille. Oscar a pris une leçon d'histoire avec son patron. Il gare sa Mobylette devant le 21 rue Dieu en pensant à Jean-Claude Brochant. Il aime beaucoup discuter avec le commissaire. Avec lui, il se sent plus intelligent.

Oscar est essoufflé[123] en arrivant devant la porte de *L'ouverture du net*, au cinquième étage d'un immeuble sans ascenseur. Un barbu[124] d'une trentaine d'années lui ouvre. Il porte de petites lunettes rondes et ses cheveux longs n'ont pas été lavés depuis au moins trois jours. Une sorte de hippie perdu en 2012.

– Vous désirez ? commence-t-il d'une voix endormie.

– Eh bien, je souhaite vous parler, monsieur, répond Oscar d'une voix puissante.

– On ne se connaît pas…

– Non, c'est dommage. Je suis le lieutenant de police Tenon, de la brigade criminelle.

---

123. Essoufflé (adj.) : *À bout de souffle, qui a du mal à respirer.*
124. Barbu (n.m.) : *Personne qui a une barbe.*

Par provocation, Oscar lui présente sa carte de police à moins de cinq centimètres des yeux. Le barbu reste immobile. Oscar en profite pour entrer.

Les bureaux ne sont pas très grands. *L'ouverture du net* occupe un petit appartement de deux pièces. Les murs sont plus jaunes que blancs. Les membres de la coopérative ne doivent pas respecter l'interdiction de fumer dans les lieux publics. L'odeur de tabac froid déplaît à Oscar.

– Vous travaillez pour *L'ouverture du net*? demande Oscar au hippie.

– Oui, je suis responsable de la coopérative.

– Et vous vous appelez?

– Marc Simon.

Après la surprenante entrée d'Oscar, le hippie a retrouvé de l'énergie. Il fait face au flic:

– Je suppose que vous enquêtez sur la mort de Laurent Leprince. On ne parle que de ça dans le quartier.

– Si vous n'avez pas tué votre femme ces dernières heures, oui, je suis ici pour vous parler de Laurent Leprince.

– Désolé de vous décevoir, je ne suis pas marié.

– Vous travaillez seul dans les bureaux? Où sont les autres membres de la coopérative?

– Ils travaillent chez eux. Ils viennent pour des réunions essentiellement.

– Et j'imagine que vous avez eu plusieurs réunions ensemble à propos de Securix?

L'homme est un peu gêné et caresse sa barbe brune.

– C'est exact. Nous devions porter plainte[125] contre Securix au tribunal de commerce[126].

– Qu'ont-ils fait exactement ?

– Vous avez entendu parler des logiciels libres ?

– Pas du tout, répond fièrement Oscar. Je suis allergique[127] aux ordinateurs.

– Pour résumer, beaucoup de gens pensent que tout doit être gratuit sur Internet. La musique, les films, les jeux et toutes les formes de logiciels. Beaucoup d'informaticiens créent des logiciels qu'ils mettent au service de la communauté. C'est ce qu'on appelle des logiciels libres. Vous pouvez vous en servir gratuitement. Vous pouvez surtout rentrer dans le programme pour en faire un nouveau programme avec de nouvelles fonctions.

– Et que vient faire Laurent Leprince dans tout cela ?

Marc Simon réfléchit quelques instants :

– Il était très fort pour protéger ses logiciels. En fait, les produits de Securix sont des logiciels libres sur lesquels Laurent Leprince mettait un puissant système de sécurité. Impossible donc de rentrer dans le programme et de vérifier d'où il vient.

– Donc vous n'êtes pas sûr que Securix vende des logiciels libres.

---

125. Porter plainte (expr.) : *Dénoncer un délit devant la justice.*
126. Tribunal de commerce : *Lieu où on rend la justice.*
127. Allergique (adj.) : *Qui ne supporte pas une chose, qui déteste.*

– Sûr à 100 %, non. Mais c'est évident. Le problème, c'est que nous n'avons jamais réussi à pirater ses sécurités pour avoir la preuve.

– Vous accusez donc sans preuve. Devant un tribunal, vous allez avoir des problèmes !

Le hippie reste sans voix. Oscar en profite pour poursuivre :

– Et vous avez déjà rencontré Laurent Leprince ?

– Non, mais j'échangeais pas mal d'emails avec lui. Il n'était pas très aimable[128].

– Ça me semble évident si vous le traitiez de voleur !

Silence… Oscar se met à inspecter les lieux. Une des deux pièces sert de salle de réunion avec une grande table et huit sièges autour. Dans l'autre pièce se trouvent trois bureaux avec chacun un ordinateur portable. Pas un papier ne traîne. Tout est rangé dans des tiroirs avec des étiquettes de couleurs.

– Les membres de *L'ouverture du net* sont-ils tous informaticiens ?

– Oui, la plupart réalisent des sites Internet, un peu dans tous les domaines.

– Ils sont tous concurrents alors ?

– Pas vraiment. Ce sont des amis. Quand l'un a trop de travail, il passe volontiers[129] un client à l'autre. Dans l'Internet, on n'a pas de problème pour trouver du boulot.

---

128. Aimable (adj.) : *Poli, gentil, agréable.*
129. Volontiers (adv.) : *Avec plaisir.*

– En quoi Securix était-il dangereux pour vous ? le coupe Oscar.

– Bah… Alain et Mourad travaillent pas mal sur les problèmes de code d'accès et de paiement. C'est vraiment le même marché que celui de Securix. À cause de Laurent Leprince, ils ont perdu des clients. Et ils ont été obligés de baisser leurs prix.

– Ils ont donc de bonnes raisons d'en vouloir à Laurent Leprince…

– Oh là ! Alain et Mourad ne sont pas des assassins, proteste le hippie.

– Peut-être pas des assassins mais des corbeaux[130]…

– Je ne comprends pas de quoi vous parlez.

– Je parle d'une lettre anonyme que le centre des impôts a reçue. Elle dénonce Securix un peu comme vous venez de le faire. Si vous êtes le responsable administratif de la coopérative, vous avez peut-être écrit cette lettre ?

Marc Simon devient tout à coup très pâle.

– Vous êtes en train de m'accuser ? proteste-t-il.

– Non, je réfléchis à voix haute. Je pourrais aussi dire que Mourad et Alain ont écrit cette lettre. Quels sont leurs noms de famille d'ailleurs ?

– Mourad Ghezi et Alain Lelong.

– Pourriez-vous écrire sur une feuille le nom, l'adresse, le numéro de téléphone et le mail de tous les membres de *L'ouverture du net* ? J'ai très envie de leur rendre visite…

130. Corbeau (n.m.) : *Ici, personne qui dénonce une personne ou un crime de manière anonyme, sans dire son nom.*

# 11

18 h 12. Finalement, Oscar ne va pas voir les membres de *L'ouverture du net*, mais Asafar Boulifa. À peine arrivé, Oscar lui tend la liste écrite par Marc Simon.

– Tu pourrais te connecter sur les boîtes mail de ces gens-là ?

– Je pense que ça va être plus facile qu'avec Securix…

– Tiens, ce matin, je suis allé au Quai des orfèvres. Ils ont saisi[131] tout à fait légalement la messagerie de Securix.

Asafar est un peu vexé. Il répond cependant avec un grand sourire :

– Oui, mais ils n'ont pas encore les messages de Maud Dupuis…

– C'est sûr, réplique Oscar. Tu peux m'expliquer pourquoi ça va être plus facile de rentrer dans les boîtes mail de *L'ouverture du net* ?

– Parce qu'ils ont des adresses mail sur des serveurs

---

131. Saisir (v.) : *Ici, prendre quelque chose sur décision de justice.*

d'accès gratuits, ceux de tout le monde. C'est donc facile de pénétrer dans leurs ordinateurs.

– Je voudrais que tu t'occupes en premier de Mourad Ghezi et d'Alain Lelong.

– OK. J'en ai pour un petit moment.

– Combien de temps, environ ?

– Peut-être une heure…

– Tu n'as pas quelque chose pour m'occuper en attendant ?

– Ah, si… J'ai fait un dossier avec toutes les entreprises qui travaillent dans le numérique autour du canal Saint-Martin.

– Parfait, j'ai de quoi lire.

Oscar part s'installer dans un canapé. Le flic ne parvient pas à se concentrer sur ce qu'il lit. Les documents économiques de présentation d'entreprises ne le passionnent pas. Il déteste la presse économique.

Le flic pense à Maud Dupuis. Il sent que c'est un personnage essentiel dans la mort de Laurent Leprince. *« Tu dois comprendre que ce n'est pas fini. »* Et si Maud Dupuis connaissait l'un des membres de *L'ouverture du net* ?… Il imagine un complot[132] contre Leprince pour le forcer à arrêter de vendre ses logiciels. Il imagine un racket[133], une femme qui séduit le patron de Securix

---

132. Complot (n.m.) : *Projet secret de plusieurs personnes contre une autre.*
133. Racket (n.m.) : *On force quelqu'un à donner de l'argent en le menaçant.*

pour le manipuler. Il imagine une entreprise prête à tout pour découvrir les secrets de Laurent Leprince…

Asafar le sort soudain de ses réflexions :

– Viens voir, je suis dans les boîtes mail de Mourad Ghezi et Alain Lelong. Je suis désolé, je ne vais pas pouvoir t'imprimer tous leurs mails. Tu vas faire un petit effort et lire tout ça sur l'écran.

Oscar râle[134] en se levant du canapé. Il retire ensuite sa veste de costume et remonte les manches de sa chemise. Il est maintenant prêt à affronter un ordinateur.

– Est-ce qu'ils ont reçu des mails de Maud Dupuis ? demande Oscar en se dirigeant vers l'ordinateur.

– Apparemment, non…

Oscar commence à lire. Asafar, lui, s'installe devant un deuxième ordinateur.

19 h 28. Après une heure de lecture, le flic n'a rien appris d'intéressant sur Mourad Ghezi et Alain Lelong. La plupart des mails parlent d'informatique mais rien sur Securix et Laurent Leprince.

Asafar interrompt Oscar dans sa lecture :

– Monsieur Lelong n'est pas très propre. Il ne vide pas souvent sa poubelle !

– Et alors ? demande le flic.

– Alors, je peux lire tous les fichiers qu'il y a dans la poubelle de son ordinateur. Il ne l'a pas vidée depuis environ deux semaines.

---

134. Râler (v.) : *Ici, protester, grogner.*

– Si c'est aussi passionnant que sa boîte mail, tu peux abandonner.

– Tu te trompes. Il y a un fichier *Word* très intéressant. Tu ne veux pas savoir son nom ?

– Vas-y, je n'aime pas attendre !

– LL1... LL : Laurent Leprince... C'est la lettre anonyme qui dénonce Securix au centre des impôts.

Oscar tape dans ses mains :

– C'est un vrai bonheur de travailler avec toi !

– Je ne suis pas payé, donc ce n'est pas du travail, réplique Asafar avec un air de défi.

– Si je déclare tes activités à la brigade criminelle, ce n'est pas un salaire qu'ils vont te donner, mais plutôt quelques années de prison.

– Et on vivra dans la même cellule[135] !...

Asafar n'a pas fini de fouiller dans la poubelle d'Alain Lelong. Oscar l'observe taper sur le clavier à toute vitesse. Il songe à ces deux pistes : Maud Dupuis et Alain Lelong. Mis à part Laurent Leprince, rien ne relie ces deux personnes. L'un n'aimait pas du tout le patron de Securix, l'autre lui laissait des messages un peu étranges.

– Ce monsieur Lelong laisse traîner beaucoup de choses dans sa poubelle ! crie Asafar.

– Tu as trouvé autre chose ?

– Oui, c'est un vieil article de journal que Lelong

---

135. Cellule (n.f.) : *Pièce où on enferme les prisonniers.*

a téléchargé. Il date de 1998. Ça parle du procès d'un hacker[136] condamné à payer une grosse amende[137]. Le type avait détruit les fichiers d'un gros constructeur informatique américain. Il avait aussi piraté des comptes bancaires.

– Et nous connaissons ce type ? l'interrompt Oscar.

– Je ne crois pas. Il s'appelle Pascal Briant.

– Jamais entendu parler. Après tout, c'est normal qu'Alain Lelong s'intéresse à ce genre d'article. Il travaille dans la sécurité informatique.

– Oui, c'est normal mais ce qui est bizarre, c'est le nom du fichier : LL2.

---

136. Hacker (n.m.) : *Spécialiste de la sécurité informatique, capable d'entrer dans un système malgré les protections. Mot souvent utilisé comme synonyme de pirate informatique.*

137. Amende (n.f.) : *Punition sous forme d'argent à payer.*

# 12

23 h 47. Oscar n'a pas sommeil. Il ne rentre donc pas chez lui en sortant de chez Asafar. À cette heure-ci, la circulation[138] est plus tranquille à Paris. Après un quart d'heure à Mobylette, il traverse la place de la République pour se retrouver au canal Saint-Martin.

Le flic veut observer les lieux à l'heure où Laurent Leprince est tombé dans le canal. Malgré l'humidité, il s'assoit sur le banc près duquel on a retrouvé le cadavre. Il fait environ 5° Celsius, le ciel est couvert. Une nuit sombre sans lune.

Oscar a froid et remonte le col de son imperméable. Quand il respire, de la buée[139] sort de sa bouche. Peu de gens se promènent dans la rue. Seules les voitures qui passent derrière le flic troublent le calme du quartier.

---

138. Circulation (n.f.) : *Déplacement, mouvement des voitures sur la route.*
139. Buée (n.f.) : *Vapeur produite au contact du froid.*

Laurent Leprince n'a certainement pas croisé beaucoup de monde, lundi soir, quand il est allé de Securix à l'épicerie, puis de l'épicerie au canal. Peut-être est-il retourné à Securix avant de finir sa vie dans l'eau ? Après s'être battu avec lui dans son bureau, son agresseur l'a peut-être suivi quand il est allé acheter de la bière. L'épicière ne se souvient pourtant pas avoir vu de second individu.

Oscar a froid mais cela ne le dérange pas pour réfléchir. La mort du patron de Securix lui donne des idées.

0 h 30. Le flic allume le chronomètre[140] de sa montre. Sans raison apparente, il commence à hurler de toutes ses forces. Des sons horribles, pas de mots précis. Ça ressemble à un âne qui appelle sa femelle ou à un adolescent qui hurle sa haine contre la société. Il devient tout rouge en quelques secondes, se lève et donne des coups de pied contre le banc. Il lance une pierre dans l'eau qui fait « plouf ». Et il hurle de plus en plus fort.

Une minute vingt-quatre secondes plus tard, le lieutenant de police voit des lumières s'allumer dans les appartements les plus proches du canal. Ils sont à une quinzaine de mètres du banc, de l'autre côté de la rue. Une fenêtre s'ouvre et une voix trop aiguë crie :

— C'est pas fini, ce bordel[141] !

---

140. Chronomètre (n.m.) : *Instrument de précision pour mesurer le temps.*
141. Bordel (n.m.) : *Grand désordre, agitation bruyante. (fam.)*

– Vous avez besoin d'aide ? Vous voulez que j'appelle la police ? demande timidement un homme au deuxième étage.

Oscar se retourne brusquement pour ne pas montrer son visage.

– Non, non, ça va, ça va, répond-il mal à l'aise. Je vais partir…

Il n'a certainement pas besoin de croiser des collègues en ce moment. Alors, il file discrètement vers sa Mobylette garée dans la rue Dieu.

Le lieutenant Tenon est content de lui. Son expérience prouve que si Laurent Leprince a crié avant de mourir, il ne l'a pas fait très longtemps. Une minute et vingt-quatre secondes ont suffi à faire sortir deux voisins à leur fenêtre. Lundi soir, personne n'a rien remarqué. Peut-être Laurent Leprince n'a-t-il pas crié du tout. L'agresseur l'aurait surpris, assis le long du canal et poussé dans l'eau brusquement. Mais pourquoi Laurent Leprince ne portait-il pas ses chaussures ?...

# 13

Vendredi 17 février 2012. 10 h 13. 21 rue Dieu. Marc Simon ouvre la porte de *L'ouverture du net* et il n'a pas l'air très heureux de la visite d'Oscar Tenon.

– Bonjour ! lance le flic. Je suis désolé, je n'ai pas apporté de croissants pour le petit déjeuner.

– Ça ne fait rien, vous me coupez plutôt l'appétit[142]…

– Ce n'est pas gentil ! En fait, j'ai besoin de vous. J'imagine que vous avez prévenu les membres de *L'ouverture du net* de ma visite ? demande Oscar.

Le barbu est un peu gêné mais réplique :

– Oui, c'est normal, non ?

– Tout à fait. Et comment ont-ils réagi ?

– Tranquillement. Ils n'ont rien à se reprocher.

– Ça, je ne suis pas sûr, marmonne Oscar. Bon, j'ai besoin de savoir si Alain Lelong est chez lui en ce moment. Vous pourriez l'appeler ?

– Vous ne pouvez pas lui téléphoner vous-même ?

– Je déteste autant le téléphone que les ordinateurs.

– Ah…

---

142. Couper l'appétit (expr.) : *Stopper l'envie de manger.*

–Ne parlez pas de moi à Lelong. Je préfère lui faire la surprise de ma visite… Trouvez un prétexte, une réunion, une information à lui donner…

Marc Simon ne sait pas quoi penser d'Oscar. Il est impressionné par le culot[143] du flic. Il finit par appeler Alain Lelong. L'homme est bien chez lui en train de travailler.

Oscar est satisfait:

–C'est parfait! monsieur Simon. Je vous remercie de votre aide. Mais n'allez pas rappeler Lelong après mon départ pour lui dire que j'arrive. Je serais très en colère car j'aime beaucoup les surprises.

11 h 02. Oscar pénètre dans un petit immeuble de trois étages, au-dessus de la place de Belleville. L'endroit est plutôt sale et mal entretenu. Les prospectus[144] publicitaires débordent de la poubelle sous les boîtes aux lettres. L'odeur n'est pas particulièrement agréable. Oscar monte l'escalier jusqu'au premier étage et sonne à la porte de Lelong. L'homme met quelques secondes pour ouvrir. Petit et costaud, il ne porte pas bien son nom. Il a les cheveux rasés et un cou large.

–Bonjour monsieur, vous êtes Alain Lelong? lui demande Oscar énergiquement.

–Oui, c'est moi…

–J'espère que vous êtes bien réveillé. Je suis le lieutenant Oscar Tenon de la brigade criminelle.

143. Culot (n.m.): *Audace, assurance excessive. (fam.)*
144. Prospectus (n.m.): *Papier, petite affiche, tract.*

L'homme se gratte le crâne, l'air inquiet. Le flic en profite :

– Je peux rentrer ?

– Euh, non, non. Ma copine dort. Elle est hôtesse de l'air. Elle vient de rentrer de voyage.

– Eh bien mettez un manteau, nous parlerons dans la rue. Ça ne sera pas long.

– Mais c'est à quel sujet ?

– Un peu de patience, chuchote[145] Oscar.

11 h 09. Alain Lelong a mis un gros manteau rouge. Il marche à côté d'Oscar sur le boulevard de la Villette. Il est soucieux[146] et nerveux. Le flic tente de le mettre à l'aise :

– Vous n'habitez pas loin du canal Saint-Martin. Vous allez souvent travailler à *L'ouverture du net* ?

– En fait, non. Je travaille chez moi ou chez mes clients.

– Et vous aimez votre travail ?

– Oui, oui, murmure Lelong d'une voix incertaine.

– Je ne vais pas vous faire perdre de temps, l'interrompt Oscar. Pourquoi avez-vous envoyé une lettre anonyme au centre des impôts ?

Alain Lelong s'arrête de marcher. Son visage devient blanc comme un drap neuf.

– De quoi parlez-vous ? demande-t-il en fuyant le regard d'Oscar.

– Arrêtez de me prendre pour un imbécile ! Regardez-moi bien dans les yeux. Je sais que vous avez écrit cette lettre.

---

145. Chuchoter (v.) : *Parler tout bas.*
146. Soucieux (adj.) : *Inquiet.*

Oscar ne peut évidemment pas parler du piratage de l'ordinateur de Lelong par Asafar. Il a pourtant déstabilisé[147] son interlocuteur. Alain Lelong se tait, le regard perdu. Les deux hommes marchent en silence. Le flic décide alors de repasser à l'attaque :

– Pourquoi avez-vous tué Laurent Leprince ?

– Vous vous trompez de personne, le coupe Lelong avec un regard de fou.

L'homme s'approche alors brusquement d'Oscar pour le saisir par le bras. D'un geste vif, le flic évite la main qui s'avance dangereusement vers lui, puis recule.

À deux mètres de distance, le bras tendu vers le visage de Lelong, Oscar menace :

– Ne me touchez surtout pas ! Calmez-vous !

Apeurées[148], trois passantes observent les deux hommes en marchant soudainement plus vite.

– Mais j'ai rien fait. Laissez-moi tranquille, crie Lelong d'une voix tremblante.

– Je suis prêt à croire que vous n'êtes pas un meurtrier mais vous savez des choses…

– OK, j'ai écrit la lettre, lâche Lelong, mais je n'ai pas assassiné Laurent Leprince.

– Que faisiez-vous, lundi soir ?

– J'étais chez moi, je travaillais.

– Votre copine était avec vous ?

– Non...

---

147. Déstabiliser (v.) : *Faire perdre l'assurance, fragiliser.*
148. Apeurées (adj.) : *Qui ont peur.*

– C'est embêtant, réplique Oscar. Vous n'avez donc pas d'alibi... Et pourquoi en vouloir autant à Laurent Leprince et Securix ?

– C'était juste un problème professionnel.

– Vous le connaissiez personnellement ? Vous l'avez déjà rencontré ?

Alain Lelong ne répond pas de suite. Oscar en déduit[149] qu'il cherche quoi dire.

– Je l'ai vu deux ou trois fois. La dernière fois, c'était chez un client, il y a quelques semaines. Je suis arrivé en avance, on ne devait pas se voir.

– Et vous vous souvenez de la première fois où vous avez rencontré Leprince ?

Nouveau silence de Lelong. Oscar est persuadé qu'il cache quelque chose. Le ton de sa voix n'est pas franc[150] :

– C'était à un salon sur les logiciels à Paris, il y a deux ans.

– Comme vous aimez écrire des lettres anonymes, est-ce que vous n'envoyez pas non plus des photos ? Des photos de classe...

Lelong est surpris ou alors il est très bon comédien.

– Je ne comprends pas, répond Lelong l'air un peu bête...

– C'est pas grave. Et vous êtes de quel groupe sanguin ? poursuit Oscar.

– A+...

Oscar repense alors au fichier LL2 découvert par

---

149. Déduire (v.) : *Tirer une conclusion, deviner à partir d'indices.*
150. Franc (adj.) : *Honnête, qui dit la vérité.*

Asafar dans la poubelle de l'ordinateur de Lelong. L'article sur la condamnation d'un hacker en 1998. Le flic ne peut pas en parler mais il demande sournoisement[151] :

– Vous n'avez jamais fait de bêtises ? Vous n'avez jamais piraté d'ordinateurs, volé des fichiers à des entreprises ?

– Pourquoi vous me demandez ça ? l'interroge Lelong.

– Je me dis qu'un spécialiste de l'informatique comme vous doit connaître pas mal de choses sur les délinquants du web. Notamment comment ils font pour pénétrer dans les ordinateurs des autres, comment ils font pour détruire les fichiers.

– C'est pas faux.

– S'il sait rentrer dans un ordinateur, un *hacker* sait aussi le sécuriser. Il ferait un excellent expert en sécurité informatique, non ?

– Tout à fait, mais vous utilisez mal le terme de *hacker*. Un *hacker* est un honnête spécialiste informatique. Il est chargé de détecter les failles[152] dans les réseaux informatiques et de les sécuriser. Ce que vous appelez *hacker* est en fait un *black hat*, quelqu'un qui pénètre illégalement dans les ordinateurs et les réseaux.

– Merci pour votre petite leçon ! Dans votre lettre anonyme, vous traitez Laurent Leprince d'arnaqueur. Vous pensez donc qu'il était un ancien *black hat*, comme vous dites ?...

– J'en sais rien mais ce type était bizarre.

---

151. Sournoisement (adv.) : *En cachant ses véritables intentions.*
152. Faille (n.f.) : *Ici, défaut, point faible.*

# 14

15 h 13. Oscar entre au quai des Orfèvres. Les lieutenants Corti et Martin discutent devant la machine à
café. Il les salue de loin car il n'a rien à leur dire. C'est
le commissaire Brochant qu'il est venu voir.

−Mille excuses… J'aurais dû vous appeler hier en
sortant de *L'ouverture du net,* mais je n'ai vu personne
là-bas. Juste un hippie mal réveillé qui s'occupe des
bureaux.

Jean-Claude Brochant hoche la tête et lance :

−Vous m'agacez, Tenon. Je vous ai demandé un
rapport et je n'ai toujours rien reçu !

−Je préfère vous faire mon rapport oralement.

−Si c'est pour me dire que vous n'avez vu personne,
vous auriez dû rester chez vous ! Et puis vous ne pouvez
pas avoir un téléphone portable comme tout le monde !

Jean-Claude Brochant ne reste jamais très longtemps de mauvaise humeur. Il se lève de son bureau en
demandant :

– Bon, j'imagine que vous avez une piste, quelque chose de sérieux à me raconter?

– Une piste, c'est beaucoup dire… Je sais qui a envoyé la lettre anonyme. C'est Alain Lelong, de *L'ouverture du net*. Mais je ne pense pas qu'il soit l'assassin de Leprince.

– Et vous êtes en train de me dire que vous n'avez rien trouvé à *L'ouverture du net*?

– Croyez-moi! Le hippie ne m'a rien dit d'intéressant. J'ai eu de la chance de tomber par hasard sur Alain Lelong.

– Vous êtes sûr que c'était par hasard?… l'interrompt Brochant.

Oscar ne souhaite pas s'expliquer sur ce point. Personne ne connaît Asafar à la brigade criminelle et c'est parfait comme ça. Le lieutenant passe donc à autre chose. Il est très fort pour faire parler Jean-Claude Brochant et l'écouter d'un air passionné:

– Et de votre côté, vous avez du nouveau?

– Oui, hier soir, nous avons obtenu les enregistrements du répondeur de Laurent Leprince. Nous recherchons actuellement une femme. Elle lui a laissé des messages bizarres avant sa mort. Elle s'appelle Maud Dupuis. J'ai les enregistrements sur mon ordinateur.

Et Oscar écoute les trois messages qu'il connaît déjà. Il n'en dit rien à son supérieur. Il serait bien incapable de lui expliquer comment il les a obtenus.

– C'est très intéressant, répète-t-il plusieurs fois. Et vous avez interrogé cette femme?

– Non, ce matin, nous sommes allés chez elle, à Évry, et il n'y avait personne. Sa voisine nous a dit que Maud Dupuis était en voyage.

– Vous savez si elle travaille ? demande Oscar.

– Non, on ne sait presque rien d'elle. Nous avons eu son adresse par son opérateur téléphonique. Nous avons juste son numéro de sécurité sociale. Elle a 37 ans et est née à Paris.

– Elle a donc le même âge que Laurent Leprince, affirme Oscar en pensant à la photo de classe reçue par Leprince. J'aimerais bien rencontrer cette dame…

– Nous aussi.

– Et sa voisine sait depuis combien de temps Maud Dupuis est en voyage ?

– Non. Elle nous a dit qu'elle était très discrète. Elle vit seule et reçoit parfois un homme chez elle.

Comme cela lui arrive parfois, le lieutenant Tenon passe à un tout autre sujet :

– Est-ce que vous savez où Leprince a fait ses études ? Il était dans quel lycée ?

– J'imagine que c'est dans son dossier mais je ne m'en souviens pas.

Jean-Claude Brochant ouvre une chemise[153] rose sur son bureau, enfile ses lunettes et se met à feuilleter les pages.

---

153. Chemise (n.f.) : *Ici, dossier en papier ou en carton.*

– J'y suis… Leprince a eu son baccalauréat au lycée Rodin, dans le XIIIᵉ arrondissement de Paris. En quoi, ça vous intéresse ?

– Juste une idée comme ça… répond Oscar de façon énigmatique. Bon, bah, je vais y aller, j'ai des choses à faire.

– Non, j'ai encore deux ou trois choses pour vous, dit le commissaire. Je vais chercher un café et on voit après.

Oscar n'a pas d'autre choix que d'attendre dans le bureau de son patron.

Cinq minutes plus tard, Jean-Claude Brochant revient avec un café et un épais dossier sous le bras.

– Nous avons obtenu les comptes de Securix. Ils sont très intéressants. Nous avons demandé de l'aide à une collègue de la brigade financière[154]. Elle a analysé tout ça. Elle adore les chiffres.

– Et elle a découvert des choses ?

– Oui. Laurent Leprince était un menteur. Il ne déclarait pas tous les revenus de Securix aux impôts.

– Est-ce que ça représente beaucoup d'argent ?

– En trois ans, ça représente plus de 100 000 euros non déclarés.

– Ce qu'il y avait dans la lettre anonyme était donc vrai ?

– En partie, oui. Dans son courrier, Alain Lelong écrit que les comptes de Securix sont truqués. Il avait

---

154. Brigade financière : *Police spécialisée dans les crimes et délits économiques et financiers.*

raison. Par contre, nous n'avons aucune preuve que Leprince volait les logiciels qu'il revendait.

– Selon les spécialistes, ça semble difficile à prouver, ajoute Oscar. Le problème avec les logiciels, c'est qu'ils appartiennent un peu à tout le monde.

– Je sais que vous n'aimez pas trop les chiffres mais prenez ce dossier, et étudiez-le chez vous ce soir. Vous découvrirez peut-être un indice[155] que n'a pas vu notre collègue de la brigade financière.

16 h 28. Oscar sort du quai des Orfèvres. Il doute de trouver quelque chose dans les comptes de Securix. En revanche, le lieutenant de police sent qu'il va faire la connaissance de Maud Dupuis grâce à Asafar.

.

---

155. Indice (n.m.) : *Objet, trace ou signe qui aide à deviner quelque chose.*

# 15

17 h 01. Oscar arrive chez Asafar. Le jeune homme est en train de programmer les gestes d'un monstre d'un jeu d'aventure. Un croisement entre Arnold Schwarzenegger et un dinosaure. L'informaticien demande au flic de patienter quelques instants afin de sauvegarder son travail.

Oscar fait comme chez lui et part dans la cuisine préparer un thé. Quand il revient, une tasse à la main, Asafar a fini sa programmation. Il fait alors un essai du monstre en lançant un petit clip[156]. Oscar regarde d'un œil distrait. Il n'est pas fan de jeux vidéo. Sur l'écran, le monstre jaune et vert saute partout et fait trembler l'image.

– Les créateurs du jeu m'ont demandé de simuler un tremblement de terre, dit Asafar.

---

156. Clip (n.m.) : *Courte vidéo.*

–Ouais, c'est assez réussi… En fait, il faudrait que tu retrouves une photo de classe et surtout le nom des élèves qui sont dessus.

–Tu peux être plus précis ?

–Oui, lycée Rodin, dans le XIIIᵉ arrondissement. Année scolaire 91/92, classe de terminale scientifique.

Asafar se met à surfer sur Internet. Oscar, lui, commence la lecture des comptes de Securix, confortablement installé dans le canapé.

Depuis sa création, Securix fait des bénéfices[157]. Une liste de clients retient l'attention du flic : deux banques, une couturière[158] célèbre qui a ses ateliers près du canal, un quotidien[159] national, mais aussi une dizaine d'entreprises aux noms inconnus. La liste des fournisseurs[160] est moins prestigieuse[161]. Un nom saute pourtant aux yeux d'Oscar : Chapeau black. Il tourne les pages rapidement à la recherche des chiffres correspondant à Chapeau black. Et ce qu'il trouve l'étonne un peu. Depuis sa création, Securix verse tous les mois 4 166,66 euros à l'entreprise Chapeau black.

–Je peux te poser une question ou tu es trop concentré ? demande doucement Oscar.

–Non vas-y.

157. Bénéfice (n.m.) : *Profit, argent gagné par une entreprise.*
158. Couturière (n.f.) : *Personne qui fabrique des vêtements.*
159. Quotidien (n.m.) : *Journal.*
160. Fournisseur (n.m.) : *Marchand, vendeur qui livre régulièrement des produits.*
161. Prestigieuse (adj.) : *Renommée, connue de manière positive.*

– Tu sais ce que signifie un *black hat* ?

– Oui, bien sûr ! C'est un type qui pirate les ordinateurs.

– Et pourquoi « chapeau noir » ?

– C'est en opposition au *white hat*. Lui, il va dans les ordinateurs pour réparer et améliorer les choses. C'est en référence aux films de western. Les méchants avaient souvent un chapeau noir, les gentils un chapeau blanc.

– Une entreprise informatique qui s'appelle Chapeau black fait-elle référence au piratage ?

– Oui, il y a des chances…

– Je peux utiliser ton téléphone ? demande soudainement Oscar. J'ai besoin de parler à quelqu'un de Securix. Tu me trouves leur numéro, s'il te plaît ?

– C'est pas compliqué, tu pourrais le faire tout seul, grogne Asafar tout en recherchant le numéro sur Internet.

Il ne lui faut pas plus de vingt secondes pour trouver le numéro !

Steve Works décroche après trois sonneries. C'est justement à lui qu'Oscar voulait parler :

– Que faisait la société Chapeau black pour Securix ?

– Vous pouvez répéter le nom de la société ? demande l'employé de Laurent Leprince.

– Chapeau black, tout simplement.

– Non, ça ne me dit rien. Je ne connais pas cette entreprise.

– Vous êtes sûr ?

– Oui, vraiment. Mais pourquoi me posez-vous cette question ?

– Securix verse tous les mois 4 166,66 euros à Chapeau black. Je me demande pourquoi ?

– Je n'en ai aucune idée. Vous savez, Laurent était un peu secret...

– Oui, je m'en suis aperçu. Merci pour votre réponse et bonne fin de journée.

Oscar pense tenir un élément intéressant... Pendant ce temps-là, Asafar a avancé. Il affiche une photo de classe sur son écran.

– C'est ça que tu cherches ? demande-t-il à Oscar.

– Ah oui, c'est ça ! Je reconnais le type au pull rouge en plein milieu. Et tu as les noms des élèves ?

– Non, juste quelques-uns. J'ai trouvé la photo sur un site payant pour retrouver ses anciens camarades de classe. Il y a quelques échanges de mails entre les élèves mais pas la liste complète.

– Tu vas pouvoir la trouver ?

– Je pense, oui. Je suis sur le site Internet du Ministère de l'Éducation nationale. Question sécurité, ils ont dix ans de retard.

Et effectivement, Asafar finit par trouver ce qu'il cherche. Le fichier s'appelle *TerminalCRodin91-92.pdf*.

– C'est parfait, lâche-t-il en souriant. On sait même s'ils ont obtenu leur bac[162] ou pas.

– Et il y a Laurent Leprince dans la liste ?

---

162. Bac (n.m.) : *Abréviation de « baccalauréat », examen à la fin des études secondaires.*

– Oui, tout à fait. Et tu seras content d'apprendre que Maud Dupuis était dans cette classe.

Oscar serre le poing et se met à danser quelques pas de disco. Il est fan de John Travolta dans *Grease* et *Pulp fiction*.

– Parfait!!! J'en étais sûr. Et il n'y avait pas Alain Lelong dans cette classe?

– Non, par contre, il y avait quelqu'un que nous connaissons, chuchote Asafar.

– Et qui donc?

– Tu te souviens du fichier LL2 dans l'ordinateur d'Alain Lelong?

– Oui bien sûr. Ne répond pas à une question par une question!

– Eh bien, le type condamné pour piratage informatique en 1998, Pascal Briant, il était en classe avec Maud Dupuis et Laurent Leprince…

# 16

Samedi 18 février 2012. 9 h 36. Cimetière de Thiais, en banlieue parisienne. Le cercueil[163] de Laurent Leprince descend lentement dans la fosse[164]. Environ trente personnes assistent à la scène. Oscar Tenon n'est pas venu. Il ne croit pas au mythe de l'assassin qui assiste à l'enterrement de sa victime. Les lieutenants Corti et Martin, eux, y croient. Ils sont au cimetière[165] pour observer les personnes présentes et noter les numéros de leurs voitures. Ils recherchent Maud Dupuis. Ils ont obtenu sa photo par le Service national des cartes d'identité. C'est une belle brune aux yeux marron en forme d'amande. Mais la jeune femme n'est pas au cimetière.

Quant à Pascal Briant, Corti et Martin ne connaissent pas encore son existence. Il est peut-être

---

163. Cercueil (n.m.) : *Boîte dans laquelle on enferme le corps d'un mort avant de l'enterrer.*
164. Fosse (n.f.) : *Trou dans la terre.*
165. Cimetière (n.m.) : *Lieu où l'on enterre les morts.*

parmi ces personnes qui rendent un dernier hommage[166] à Laurent Leprince…

9 h 57. L'homme qui ouvre la porte de son appartement porte un short et un tee-shirt. Il n'a pas l'air heureux de voir Oscar.

— Bonjour, je peux rentrer ? Votre copine ne dort pas ?

— Vous êtes vraiment sans gêne ! Je n'ai rien à vous dire, s'énerve Alain Lelong.

— Bonne nouvelle, vous n'êtes plus suspect dans le meurtre de Leprince.

Alain Lelong se décontracte un peu :

— Pourquoi voulez-vous me parler alors ?

— Parce que vous allez m'apprendre des choses passionnantes sur Laurent Leprince et Pascal Briant. Une affaire qui remonte à 1998.

Lelong observe Oscar un peu bêtement, la bouche ouverte. Le flic en profite pour se glisser dans l'appartement.

— Dites donc, ce n'est pas très bien rangé chez vous !

— Gardez vos réflexions pour vous… Qu'est-ce que vous voulez savoir au juste ?

— Pourquoi vous intéressez-vous à Pascal Briant ?

— Qui vous a dit que je m'intéressais à Pascal Briant, d'abord ?

— Je suis flic, c'est moi qui pose les questions !

---

166. Hommage (n.m.) : *Marque de respect.*

– Disons que je connais quelqu'un qui connaît Pascal Briant. Je ne le connais pas personnellement.

– Vous ne pouvez pas être plus précis ?

– La personne que je connais a fait pas mal de conneries[167] avec Briant et d'autres… Dans la fin des années 90, ils ont piraté des banques et des gros éditeurs de logiciels. Ils ont détruit des fichiers, des messageries, envoyé des virus dans les systèmes d'une dizaine d'entreprises.

– Mais ils faisaient ça pour le plaisir ? demande Oscar.

– Non, pas du tout. C'était une action politique. Ils se présentaient comme des anarchistes du web, des anticapitalistes purs et durs.

– S'attaquer aux banques, je comprends le symbole mais pourquoi viser les éditeurs de logiciels ?

– Pour Briant et mon copain, sur le web, tout appartient à tout le monde. Aucun logiciel ne doit être protégé par un *copyright*. Les gros éditeurs veulent faire du fric, pas forcément participer au développement du web.

– Et l'histoire s'est mal terminée. Les flics ont arrêté votre ami, Pascal Briant et d'autres.

– Non, ça ne s'est pas passé comme ça. Ils n'ont arrêté que Briant. Les autres n'ont pas été découverts par la police.

– C'est pour ça que vous ne voulez pas trop parler de votre ami.

---

167. Connerie (n.f.) : *Bêtise. (fam.)*

–Mmmm… C'était une organisation clandestine[168] d'informaticiens, sans nom, sans logo. Ils étaient très malins pour ne pas se faire identifier.

Alain Lelong reste muet un instant. Oscar en profite pour poser une nouvelle question :

–Pourquoi Pascal Briant a-t-il été arrêté ?

–Il a utilisé un ordinateur non sécurisé. Un soir, il s'est servi du PC d'une amie et il a été repéré[169] par les flics. La fille n'avait rien à se reprocher et elle a parlé de lui spontanément aux enquêteurs.

–Et il n'a dénoncé aucun de ses complices, j'imagine, dit Oscar.

–Il a tout nié, même si les enquêteurs ont appris beaucoup de choses en saisissant ses ordinateurs. Mais ils n'ont jamais su s'il communiquait avec d'autres personnes. Il a été condamné à six mois de prison avec sursis et une énorme amende.

–Vous savez ce qu'est devenu Pascal Briant ?

–Non, mon ami n'a plus de nouvelles de lui depuis des années.

–Mon cher Lelong, je vais vous faire un cadeau. J'oublie l'existence de votre ami si vous me dites en quoi Laurent Leprince est impliqué dans tout cela, quatorze ans après.

---

168. Clandestine (adj.) : *Secrète.*
169. Repérer (v.) : *Remarquer, découvrir la position de quelqu'un ou quelque chose.*

L'homme hésite, se lève puis lâche[170] faiblement :

— Eh bien… c'est arrivé par hasard. Au cours d'une soirée, j'ai parlé des problèmes que j'avais avec Securix au copain dont je viens de vous parler. Quand j'ai prononcé le nom de Laurent Leprince, il a tout de suite réagi. Il l'avait rencontré une fois, chez Pascal Briant.

— Et Leprince faisait les mêmes bêtises que votre ami et Briant ?

— Mon copain n'en était pas certain. Il savait que Leprince était un excellent programmateur mais il n'avait aucune preuve de sa participation aux piratages.

— Avez-vous menacé Laurent Leprince de dévoiler ce que vous saviez à la police ?

— Mais pas du tout ! réplique Alain Lelong. J'ai juste envoyé la lettre anonyme. Je n'ai pas rencontré Leprince !

— Ne vous énervez pas.

— Oui, alors arrêtez de me mettre en cause[171]. J'ai juste dénoncé un concurrent malhonnête. Je n'ai pas assassiné Laurent Leprince.

Oscar se lève brusquement. Il domine Alain Lelong encore assis et le fixe dans les yeux quelques secondes.

— Finalement, je vous trouve sympathique, déclare le flic. Vous m'avez bien aidé. Et pour vous remercier, j'ai déjà oublié votre ami…

---

170. Lâcher (v.) : *Ici, dire, laisser échapper une parole.*
171. Mettre en cause (expr.) : *Accuser.*

## 17

Dimanche 19 février 2012. 18 h 30.

– Allô, patron, excusez-moi de vous déranger chez vous un dimanche soir.

– Vous ne me dérangez pas du tout…

– Vous avez de quoi noter ?

– Oui, attendez, je prends un stylo… Ça y est, je vous écoute.

– Vous trouverez Maud Dupuis demain matin, à la Gare du Nord. Elle prend le train 9 715 à destination de Lille. Elle sera dans la voiture 17. Le train part à 7 h 16.

– Je vais envoyer Corti et Martin. Je ne vous demande pas comment vous avez fait pour avoir cette information ?

– Non, patron, vous ne me demandez pas… On se retrouve demain au quai des Orfèvres. Je n'ai pas très envie d'aller Gare du Nord à 7 h 16.

Satisfait, le jeune lieutenant raccroche. Il peut remercier Asafar. Avec l'adresse de Maud Dupuis, l'informaticien a retrouvé le numéro de sa ligne télé-phonique. Avec ce numéro, il a découvert son adresse informatique IP. Avec cette adresse IP, il connaît son adresse mail. La suite est un jeu d'enfant, tout cela dans l'illégalité la plus parfaite. Dans la boîte aux lettres de la jeune femme, il a trouvé un billet de train en fichier pdf. Maud Dupuis part pour Lille demain matin, de la Gare du Nord. Elle n'a réservé qu'un aller simple.

Lundi 20 février 2012. 7 h 12. Les lieutenants Corti et Martin remplissent leur mission avec efficacité. Ils arrêtent la jeune femme sur le siège 51 de la voiture 17. Maud Dupuis ne semble pas surprise, comme si elle attendait la police. Et elle n'oppose aucune résistance. Résignée[172], elle suit bien sagement les deux policiers.

8 h 16. Quai des orfèvres, la jeune femme semble toute petite sur sa chaise, dans le bureau du commissaire Brochant. Elle porte un gros manteau qu'elle ne veut pas retirer. Elle est relativement agitée[173]. Sa jambe gauche tremble sans arrêt. Mais elle n'est pas bavarde.

La porte du bureau est ouverte. Dans le couloir, mal réveillé, Oscar observe Maud Dupuis de loin. Le commissaire Brochant lui fait signe d'entrer.

– Madame Dupuis, je vous présente le lieutenant Tenon. Il a quelques questions à vous poser à propos de la mort de Laurent Leprince.

Maud Dupuis lève la tête et baisse les paupières[174] pour saluer timidement Oscar. La forme de ses yeux est superbe. Le commissaire Brochant saisit Oscar par le bras, l'emmène au bout de la pièce et lui chuchote :

---

172. Résignée (adj.) : *Qui a renoncé à se battre.*
173. Agitée (adj.) : *Pas tranquille, nerveuse.*
174. Paupière (n.f.) : *Fine peau qui recouvre l'œil et le protège.*

– Corti et Martin ne sont pas contents mais nous allons interroger mademoiselle Dupuis tous les deux.

– OK, c'est vous qui décidez, patron… glisse Oscar, content de la situation.

Le commissaire part s'installer à son bureau tandis qu'Oscar ferme la porte. Il s'approche ensuite délicatement de Maud Dupuis et, d'une voix douce, lui demande :

– Quel est votre groupe sanguin, madame Dupuis ?

– A+, pourquoi ?

– Pour rien… Que faites-vous dans la vie ?

– Je suis au chômage[175], dit-elle timidement.

– Pourquoi alliez-vous à Lille ?

– Je partais chez ma sœur pour chercher du boulot là-bas.

– Quand avez-vous appris la mort de Laurent Leprince ?

– Mercredi…

– Et qui vous a prévenu ?

– Une cop... Une copine.

Oscar marque une pause. Il sent la peur chez Maud Dupuis. Il ne veut pas trop la brusquer[176], même s'il a des questions gênantes à lui poser. *Crescendo*. Le commissaire Brochant observe la scène en silence.

– Quand avez-vous vu Laurent Leprince pour la dernière fois ? interroge Oscar.

---

175. Chômage (n.m.) : *Situation d'une personne qui n'a pas de travail.*
176. Brusquer (v.) : *Aller trop vite avec quelqu'un, la traiter de manière un peu vive.*

– Je ne l'ai pas vu depuis qu'il est marié.

– Quatre ou cinq ans, donc ?

– Mmmm… à peu près.

– Quand avez-vous parlé pour la dernière fois à Laurent Leprince ?

Maud Dupuis fixe Oscar, puis le commissaire. Elle hésite, elle ne sait pas quoi répondre. Oscar interrompt son silence en s'approchant d'elle :

– Réfléchissez bien, madame Dupuis. Les téléphones portables laissent des traces...

Maud Dupuis comprend la menace. En se grattant le front, elle affirme mollement :

– Il y a quelques semaines…

Impatient, le commissaire Brochant lui demande :

– Et que signifie pour vous « *Tu dois comprendre que ce n'est pas fini* » ?

– … J'sais pas.

– Vous êtes certaine de ne pas savoir ? réplique Oscar.

– Allez, madame, dit Jean-Claude Brochant d'un ton paternel. Nous avons écouté le message que vous avez laissé à Laurent Leprince sur son répondeur.

– Pour être plus précis, nous avons les enregistrements de vos trois messages, ajoute Oscar.

Maud Dupuis blêmit.

– … Je suis sortie avec Laurent pendant plus de neuf ans… Je voulais le revoir… Je l'aimais encore…

– Et que vous a dit Leprince au téléphone ? reprend Oscar.

– Il ne voulait pas me voir. Il m'a dit qu'il était amoureux de sa femme mais je ne l'ai pas cru.

– Selon vous, votre relation avec Laurent Leprince n'était donc pas finie ? C'était le sens de votre message ?

– Bah oui, glisse Maud Dupuis.

Tenon commence à être agacé. Il trouve Maud Dupuis mignonne[177] mais il n'a pas très envie d'être gentil avec elle :

– J'ai du mal à vous croire, madame… Quatre ans après son mariage, vous débarquez pour dire à Leprince que vous l'aimez encore…

La jeune femme reste silencieuse et Oscar n'aime pas beaucoup ça :

– Bon, passons à autre chose. Pascal Briant, j'imagine que vous le connaissez ?

Maud Dupuis se recroqueville[178] dans son manteau. Elle ne répond rien et fixe le plafond pendant de longues secondes. Oscar sort alors la photo de classe et dit calmement :

– Vous étiez au lycée avec Pascal Briant. Vous êtes sur cette photo, au deuxième rang. Je reconnais Laurent Leprince aussi, il est là. Je sais que Pascal Briant était dans cette classe mais je ne connais pas son visage. Vous pouvez me le montrer, s'il vous plaît ?

D'une main tremblante, Maud Dupuis désigne un grand brun à lunettes. Le type souriant a l'air

177. Mignonne (adj.) : *Jolie.*
178. Se recroqueviller (v.) : *Se replier sur soi-même.*

sympathique. Il tient son voisin par l'épaule... et son voisin est Laurent Leprince.

Oscar réfléchit un instant, puis demande :

– C'est vous qui avez envoyé cette photo à Laurent Leprince ?

Maud Dupuis baisse la tête.

– ... Oui... C'est moi...

– Et le soir de la mort de monsieur Leprince, que faisiez-vous ?

– J'étais chez moi...

– Seule ?

– ... Oui, seule...

– C'est ennuyeux ces alibis qu'on ne peut pas vérifier, glisse le Commissaire Brochant.

– Mais j'aimais Laurent ! Je ne l'ai pas tué !...

Oscar fait un tour dans la pièce, le regard fixé sur le plancher, puis demande :

– Et sinon, quand avez-vous vu Pascal Briant pour la dernière fois ?

Long silence.

– Six mois, peut-être...

– C'était à quelle occasion ?

Maud Dupuis reste muette[179] une interminable minute.

– Pourquoi vous ne répondez pas à cette question ? demande le commissaire Brochant.

– Parce que...

_____
179. Muette (adj.) : *Qui ne parle pas.*

– Parce que quoi ?...

Maud Dupuis se met enfin à pleurer, sans bruit. Elle lâche en se tordant les doigts :

– J'ai vécu avec Pascal pendant deux ans. Il m'a quittée en septembre dernier.

Oscar a soudain envie de verser un seau d'eau froide sur la tête de Maud Dupuis, pour qu'elle raconte enfin la vérité. Il se contrôle et poursuit l'interrogatoire :

– Est-ce que Leprince et Briant se voyaient régulièrement ?

– Non, ils ne se parlaient plus depuis des années.

– À cause de vous ?

– Oui... peut-être...

– Ils auraient donc pu se battre à cause de vous ?

– Non, oui, j'en sais rien...

– Et vous savez où se trouve Pascal Briant ?

– Non, il a déménagé, il ne m'a pas donné de nouvelles...

– Bien entendu, vous n'avez pas son numéro de portable ?

– Non, je vous assure, c'est vrai...

Oscar se retourne vers le commissaire Brochant :

– Patron, je crois que nous allons placer madame en garde à vue[180] pour 24 heures. Vous êtes d'accord ?

– OK ! Madame Dupuis, vous allez vous reposer et nous rediscuterons dans une heure.

---

180. Garde à vue : *Enfermement en prison de courte durée pour les besoins d'une enquête.*

# 18

Lundi 20 février 2012. 12 h 48. Le second interrogatoire de Maud Dupuis est décevant. La femme ne parle pratiquement pas. Tout juste avoue-t-elle avoir des problèmes d'argent, comme Pascal Briant. Ce dernier est au chômage depuis sa condamnation en 1998, sans domicile fixe connu. Difficile donc de savoir où il se trouve actuellement.

Oscar Tenon est frustré. Il n'a aucune piste pour retrouver Briant. Pour lui, Maud Dupuis est une menteuse, mais il ne l'imagine pas meurtrière : trop indécise, trop peureuse. Avec la fatigue, il espère qu'elle finira par donner des détails intéressants. Sa voisine a raconté aux flics que Maud Dupuis recevait régulièrement un homme. Pascal Briant ? Laurent Leprince ?

Assis à son bureau, le lieutenant appelle Asafar Boulifa :

– Bon, tu as trouvé des choses sur Chapeau black ?

– Oui, c'est une entreprise qui a une boîte postale[181] à Paris, un truc fantôme.

– Tu ne sais pas qui la dirige ?

– Non, mais grâce aux virements[182] de Securix, j'ai réussi à retrouver le compte bancaire de Chapeau black. Et c'est assez étonnant !

– Qu'est-ce qui est étonnant ? demande Oscar, impatient.

– En trois ans, le compte bancaire de Chapeau black n'a reçu de l'argent que de Securix. Jamais d'une autre entreprise. Trente-six virements de 4 166,66 euros, un par mois de décembre 2008 à novembre 2011.

– C'est étrange, effectivement. Et tu sais où est allé tout cet argent ?

– Non, pas vraiment. Les 4 166,66 euros arrivent le premier de chaque mois et partent le même jour sur un compte à l'étranger. Après, je perds la trace.

– C'est dommage… peste Oscar.

– Mmmmh, mais j'ai découvert un truc intéressant. Les virements de 4 166,66 euros se sont arrêtés en décembre dernier. Le dernier remonte au 1er novembre.

Oscar est pensif.

– On peut imaginer un racket qui finit mal, propose Asafar.

---

181. Boîte postale : *Boîte aux lettres qui se trouve dans une poste.*
182. Virement (n.m.) : *Argent envoyé d'un compte bancaire vers un autre.*

– Ouais… Laurent Leprince n'accepte plus de payer et se fait donc assassiner. C'est logique. Et que vient faire Maud Dupuis dans toute cette affaire ?

– Ça, j'en sais rien, t'es flic, pas moi !

Tout en posant la question, Oscar Tenon a trouvé la réponse. Deux hommes qui ne s'adressent plus la parole depuis des années mais qui ont beaucoup de choses à se dire… Une femme entre les deux…

– Pourrais-tu trouver des détails sur l'amende payée par Pascal Briant après son procès ? Quelle somme ? Comment a-t-il payé ?

– Je vais voir tout ça…

– Ah, une dernière chose, pourrais-tu multiplier 4 166,66 par 36 ?

Asafar a une calculatrice dans le cerveau.

– Facile, 150 000 !

– C'est un chiffre rond. J'aime bien les chiffres ronds… conclut Oscar.

Le flic a soudain très envie de parler d'argent avec Maud Dupuis. La jeune femme est toujours dans le bureau de Brochant, en train de manger un sandwich au thon. Il vaut toujours mieux bien nourrir les témoins et les suspects. On parle plus facilement le ventre plein.

Oscar Tenon entre dans le bureau aussi légèrement qu'un chat. Maud Dupuis ne le voit pas arriver. Elle sursaute en le découvrant si près d'elle.

– Tenon, à quoi jouez-vous ? crie Brochant.

Maud Dupuis sursaute une nouvelle fois. Elle n'a pas d'appétit et pose le sandwich sur le bureau du commissaire.

– Depuis quand êtes-vous au chômage, madame Dupuis? commence Oscar.

– … Depuis un peu plus de deux ans…

– Donc, quand vous viviez avec Pascal Briant, vous étiez tous les deux au chômage?

– Ouais…

– Vous aviez de l'argent?

– Juste des allocations chômage[183]. Pascal a été ruiné[184] à cause de l'amende…

– Vous savez combien il a payé?

– Non… non, il ne m'a jamais dit.

– Et vous ne savez pas si quelqu'un a aidé Pascal Briant à payer cette amende? questionne Oscar de façon ironique.

– Je sais que Pascal a été obligé de vendre l'appartement dans lequel il habitait… Juste après le procès.

– Quel genre d'appartement?

– Oh, un petit studio hérité de sa grand-mère.

Oscar se lève brusquement et croise le regard du commissaire Brochant. Il réfléchit quelques instants. Il a une théorie: les 150 000 euros versés par Securix représentent la participation de Laurent Leprince au

---

183. Allocation chômage: *Somme d'argent donnée par l'État à une personne au chômage.*
184. Ruiné (adj.): *Qui a perdu sa fortune, son argent.*

paiement de l'amende de Pascal Briant. Mais comment expliquer les dix années qui séparent le procès du paiement de la première mensualité de 4 166,66 en décembre 2008 ? Qu'ont fait les deux hommes pendant cette décennie ? Une certitude : ils ont tous les deux vécu avec Maud Dupuis, l'un de 1996 à 2005 et l'autre de 2008 à 2011…

Oscar décide de passer à l'attaque. Il veut déstabiliser la jeune femme :

– Madame Dupuis, vous me fatiguez… Vous nous avez dit 5 % de ce que vous savez. Vous semblez oublier que nous menons une enquête criminelle. Vous êtes un témoin important, pour ne pas dire un suspect…

La jeune femme baisse la tête et observe ses mains. Elle recommence à pleurer en silence.

Oscar s'assoit et se tait quelques instants pour mieux réfléchir. Le commissaire Brochant est immobile et laisse faire son jeune collègue qui reprend soudain la parole :

– Dites-moi ce qui s'est passé le jour du meurtre !

– … J'en sais rien !... crie Maud Dupuis. Je ne sais pas ce qui s'est passé entre eux !…

– Vous reconnaissez donc que Leprince et Briant se sont bien vus, lundi dernier ?

– … Non… je sais juste qu'ils devaient se voir depuis quelque temps…

– Bien, bien, murmure le commissaire Brochant pour calmer la jeune femme.

– Oui, mais il faut nous en dire plus, poursuit Oscar.

Maud Dupuis relève la tête et fixe le jeune flic.

– … Non, j'ai rien à vous dire !

– Pourquoi ? Vous avez peur de quoi ?

– J'ai pas peur, affirme Maud Dupuis en sanglotant.

– Si, vous avez peur, je le vois sur votre visage…
Vous partiez à Lille pour fuir la police ou pour fuir
Pascal Briant ?

– J'ai pas tué Laurent… dit-elle en pleurant.

– Du calme ! lance Oscar. Si vous n'avez pas tué
monsieur Leprince, si vous l'aimiez, dites-nous ce que
vous savez !

– … Non… j'ai peur…

# 19

Mercredi 22 février 2012. 17 h 56. Depuis lundi soir, les flics de la brigade criminelle sont en planque[185]. Ils utilisent une camionnette banalisée[186] garée devant le bar *Le Balto*, dans le XIX<sup>e</sup> arrondissement, près du parc des Buttes Chaumont. Derrière une vitre sans tain[187], ils observent les consommateurs du bar. Oscar ne supporte pas d'être enfermé. Il a donc laissé sa place à ses collègues Corti et Martin. Pendant ce temps, il se promène dans le quartier, va boire un thé au *Balto* et lire le journal, puis se promène à nouveau. Il observe attentivement tous les hommes qu'il croise. Sous la pression de Brochant, il a accepté d'être relié à ses collègues par une oreillette[188] et un micro discrets.

---

185. En planque (expr.) : *Caché pour observer un suspect. (fam.)*
186. Banalisée (adj.) : *Sans rien qui montre qu'elle est de la police.*
187. Vitre sans tain : *Vitre qui d'un côté ressemble à un miroir (on peut voir à travers depuis un côté, mais pas de l'autre).*
188. Oreillette (n.f.) : *Petit écouteur placé dans l'oreille.*

Maud Dupuis a fini par parler. Elle a donné l'adresse du *Balto* à Brochant et Tenon. Pascal Briant est un habitué de l'endroit. C'est là qu'il donnait souvent des rendez-vous à Maud. Mais il ne s'est pas montré depuis deux jours. Oscar et ses collègues n'ont pas d'autre piste que ce bar pour retrouver Briant. Et l'homme semble relativement dangereux. Maud Dupuis a laissé entendre qu'il était violent.

Oscar et ses collègues disposent d'une photo assez récente du suspect. Il est méconnaissable[189] par rapport à la photo de classe. L'homme porte toujours des lunettes mais elles sont fines et discrètes. Ses cheveux bruns sont coupés ras[190]. Son visage tout en longueur et ses inquiétants yeux noirs n'expriment pas la joie de vivre. Sur la photo du lycée, il semblait si rieur…

Sur le trottoir du *Balto*, un grand brun arrive face à Oscar d'un pas rapide. De suite, le flic murmure dans le micro caché sous sa cravate :

– Suspect, une cinquantaine de mètres devant moi.

– Bien reçu, répond Corti. On le voit…

Oscar active le pas. Il n'est plus qu'à une vingtaine de mètres de l'individu quand ce dernier glisse soudain une main dans son manteau. Le flic ne porte pas d'arme sur lui. Il a un mouvement d'arrêt. Pascal Briant est peut-être dangereux. Un frisson de peur et d'excitation

---

189. Méconnaissable (adj.) : *Très difficile à reconnaître.*
190. Ras (adj.) : *Très court.*

saisit le lieutenant Tenon. Il ne sait plus que faire : se rapprocher ou faire demi-tour. L'homme observe Oscar Tenon, puis sort un mouchoir en papier de sa poche et se mouche[191] bruyamment. Il a le nez rouge et les yeux bleus.

– Laissez tomber les gars, c'est pas lui, glisse Oscar dans le micro.

– OK, répond Corti à l'oreillette, d'un ton las[192].

Au même moment, un autre grand brun vient d'entrer dans le *Balto*. Tenon, Corti et Martin ne l'ont pas vu, tout occupés avec le suspect enrhumé[193] sur le trottoir.

Oscar en a assez de tourner autour du bar depuis deux jours, de dix heures du matin à minuit. Plus le temps avance, plus il doute de trouver Pascal Briant au *Balto*.

Il marche sans but sur le trottoir, en songeant à l'amende qu'a payée Pascal Briant. En 1998, on utilisait encore des francs. Il a été condamné à une amende d'un million de francs, soit l'équivalent des 150 000 euros payés par Securix en trois ans. Pour Oscar, c'est évident, Pascal Briant se cache derrière la société Chapeau black. Et après la mort de Laurent Leprince, il a perdu une source de revenus appréciable. 4 166,66 euros par mois, ce n'est pas rien quand on est au chômage.

---

191. Se moucher (v.) : *Vider son nez en soufflant fort.*
192. Las (adj.) : *Fatigué.*
193. Enrhumé (adj.) : *Qui a un rhume (petite maladie due au froid).*

18 h 29. Oscar commande une bière au comptoir du *Balto*. Il joue son rôle de client ordinaire. Et dans un bar, un client ordinaire boit souvent de l'alcool.

Le bar n'est pas très grand. Le comptoir, tout en longueur, peut accueillir cinq ou six buveurs. Et il y a quatre tables avec une dizaine de chaises en skaï[194] bleu. Un imposant baby-foot prend toute la place à côté des toilettes. Oscar adore le baby-foot. Quand il était au lycée, il y jouait tous les jours avec Asafar.

– Il y a quelqu'un pour jouer avec moi ? demande-t-il aux cinq clients présents.

Les hommes au comptoir se regardent. Un type attablé[195] en train de lire ne lève même pas la tête. Un jeune Noir très souriant s'avance vers Oscar et le tutoie malgré son beau costume-cravate :

– Ouais, sans problème… Tu joues bien ?

– Je me défends, réplique Oscar assez fièrement.

Au baby-foot, aucun problème de dopage[196]. La technique fait la différence. Oscar joue bien mais le jeune homme est plus adroit. Il marque les buts les uns après les autres. Oscar ne peut rien faire. 1-0, puis 2-0, puis 3-0, puis 4-0… Une seule fois, sur une maladresse de son adversaire, Oscar réussit à marquer un but. 4-1…

---

194. Skaï (n.m.) : *Tissu qui imite le cuir.*
195. Attablé (adj.) : *Assis à table.*
196. Dopage (n.m.) : *Utilisation de drogues.*

Aucun arbitre[197] pour siffler la mi-temps. C'est Corti qui appelle dans l'oreillette d'Oscar :

— Eh Tenon, tu déconnes[198] ou quoi ?

Oscar sursaute et s'arrête de jouer brusquement.

— Désolé, je dois aller aux toilettes, s'excuse-t-il. J'en ai juste pour une minute…

Une fois enfermé dans les W.-C, il lance haineusement[199] à Corti dans le petit micro :

— Ne me parle pas comme ça ! Qu'est-ce qu'il y a ?

— Je te parle comme je veux ! rétorque Corti. Surtout quand Pascal Briant est dans le *Balto*, à trois mètres de toi, et que tu t'amuses au baby-foot.

Oscar se sent soudain très bête :

— T'es sûr ? demande-t-il d'un ton plus humble.

— Sûr non, mais le type qui est en train de lire, je le vois bien dans la vitrine. Il ressemble beaucoup à la photo.

— Bon, eh bien foncez[200]. Ça ne devrait pas poser de problème, il ne s'y attend pas…

— C'est bien, t'es optimiste ! Bon, on arrive avec Martin !

Au moment où Oscar sort des toilettes, Corti et Martin pénètrent brutalement dans le bar. En quelques

---

197. Arbitre (n.m.) : *Personne chargée de faire respecter les règles pendant un match.*
198. Déconner (v.) : *Faire n'importe quoi. (fam.)*
199. Haineusement (adv.) : *Avec haine, avec hostilité.*
200. Foncer (v.) : *Se précipiter, aller très vite.*

secondes, le suspect est entouré de trois policiers. Deux armes sont pointées sur lui. Il pousse un cri de surprise et renverse sa tasse de café.

– Ohhhh… Mais qu'est-ce que vous voulez ! crie-t-il.

Croyant à une agression, le patron du bar fait de grands gestes derrière le comptoir. Oscar le stoppe d'un hurlement :

– Plus personne ne bouge ! Police nationale !

Le jeune Noir est planté devant le baby-foot, sans voix.

Oscar s'approche du suspect et observe son visage avec attention. Il a une barbe de trois jours et les joues plus creusées que sur la photo, mais c'est bien Pascal Briant.

– Bonsoir, monsieur Briant. Nous sommes tous les trois lieutenants à la brigade criminelle. Bien entendu, vous savez pourquoi nous vous cherchons ?

– J'en sais rien ! Mais lâchez-moi hurle Briant, en bougeant dans tous les sens.

Corti sort alors des menottes[201] et les place difficilement aux poignets de Briant qui se débat[202]. Le calme revient lentement quand Oscar place son visage à quelques centimètres du suspect.

---

201. Menottes (n.f.) : *Bracelets en métal, reliés par une chaine. Utilisées pour attacher un prisonnier par exemple.*
202. Se débattre (v.) : *Résister, lutter.*

– J'ai très envie que vous me parliez de Laurent Leprince, lui souffle-t-il.

Pascal Briant a le regard sombre. Il observe les flics, comme s'il vivait un cauchemar.

– Mais je comprends rien à toutes vos conneries… crache-t-il.

Il tente de donner un coup de tête à Oscar qui se recule dans un réflexe. Le flic manque de tomber en arrière mais se rattrape à une chaise.

– Ce que je comprends, moi, c'est que vous êtes le principal suspect dans le meurtre de Laurent Leprince… lâche Corti.

– Quoi ?... lance Briant, incrédule[203].

– Oui, le principal suspect, insiste Oscar.

– Vous êtes en train de me dire que Laurent a été assassiné ?

– Oui, et assassiné par vous, renchérit Martin.

– Vous êtes dingues[204] ! J'ai tué personne ! On s'est juste battus !... avoue Briant. Il était vivant quand je suis parti de Securix…

---

203. Incrédule (adj.) : *Qui a du mal à croire.*
204. Dingues (adj.) : *Fous. (fam.)*

# 20

Pascal Briant a été condamné en mai 1998 pour piraterie informatique, intrusion[205] et destruction de systèmes et données numériques. C'est seulement le 30 septembre 1998 que le fichier national ADN des personnes condamnées a été créé. Quatre mois trop tard... L'ADN de Pascal Briant n'a donc pas été enregistré.

En 2012, les flics de la brigade criminelle n'ont donc pas trouvé à qui appartenait ce fameux sang O- retrouvé sur la main de Laurent Leprince.

Mercredi 22 février 2012. 20 h 15. Quai des Orfèvres. Une goutte de sang est prélevée sur un doigt de Pascal Briant et immédiatement envoyée au laboratoire. L'homme refuse de dévoiler son groupe sanguin. Il est très agité. Les collègues d'Oscar l'ont menotté les

---

205. Intrusion (n.f.): *Fait d'entrer dans un lieu sans en avoir le droit.*

mains dans le dos et assis sur un siège scellé[206] au sol. Oscar et le commissaire Brochant lui font face. Ils ne répondent pas à ses provocations :

– Vous traitez toujours les gens comme des chiens ? Je suis INNOCENT !!!

– …

Tenon et Brochant se regardent sans montrer la moindre émotion. Briant s'énerve encore un peu plus, ce qui ne leur déplaît pas.

– L'assassin de Laurent est toujours libre. Vous êtes vraiment trop nuls ! crie Briant.

– …

– Et qui vous a parlé de moi d'abord ?

Soudain, Oscar se lève de sa chaise et dit gravement, en fixant le plafond :

– Peu importe ! L'essentiel, c'est que nous savons beaucoup de choses sur vous et dans une heure, je suis sûr que nous apprendrons que vous êtes du groupe sanguin O-.

– J'en ai rien à faire ! Je me suis juste battu avec Laurent, c'est vrai, mais je ne l'ai pas tué ! C'est lui qui s'est énervé. Il est devenu fou.

– Vous aviez rendez-vous avec lui ? demande Oscar.

– Ouais, je suis arrivé à Securix vers 21 heures.

– Comment expliquez-vous qu'on ait retrouvé son corps, le lendemain matin, dans le canal ? Vous êtes sans

206. Scellé (adj.) : *Fixé.*

doute la dernière personne à avoir vu Laurent Leprince vivant. Et vous vous êtes battu avec lui…

– Ça ressemble à un meurtre, non ? ajoute ironiquement le commissaire.

– C'est pas moi ! Je ne savais pas que Laurent était mort. C'est vous qui me l'avez appris.

– Au lieu d'être désagréable, racontez-nous votre rencontre avec lui, lance Oscar. Pourquoi s'est-il énervé contre vous ?

Pascal Briant hésite. Ses grands yeux noirs fuient le regard des flics. Il cherche certainement quoi dire. Le silence dure quelques secondes, interrompu par Oscar :

– Vu que vous avez des problèmes de mémoire, je vais vous raconter une petite histoire. Avant 1998, vous avez fait de grosses bêtises. Excusez mon ignorance en informatique, je ne suis pas capable de décrire précisément de quoi il s'agit. L'essentiel, c'est que vous avez été condamné à payer une grosse amende. Tout seul, alors que vous aviez des complices. Des complices comme Laurent Leprince, par exemple. Et quand Leprince a créé sa société, des années plus tard, vous lui avez demandé de rembourser l'amende que vous avez payée. Ou plutôt vous l'avez forcé, j'imagine… S'il ne payait pas, vous le dénonciez.

Pascal Briant écoute, l'air mauvais. Il n'a pas un geste pour nier. Oscar poursuit son récit :

– Vous êtes plutôt un type honnête, en fait. Vous avez payé un million de francs d'amende et vous avez récupéré 150 000 euros de Securix. J'ai une petite question à vous poser.

Oscar tire un bout de papier de la poche de sa veste. Il le déplie et dit d'un air sournois :

–J'ai fait un calcul. Vous avez reçu trente-six fois 4 166,66 euros, ce qui fait la somme de 149 999,76 euros. Le jour du meurtre, êtes-vous allé réclamer les vingt-quatre centimes qui manquaient pour arriver à 150 000 ? C'est ça qui a énervé Laurent Leprince ?

Pascal Briant est blême. Il ne comprend pas l'humour de Tenon.

–OK, concède[207]-t-il du bout des lèvres. Il m'a payé. Mais je vous dis que je ne l'ai pas tué !

–Alors que s'est-il passé ? crie Brochant.

–Rien… Je voulais juste qu'il continue de me donner de l'argent…

–Bien entendu, il a refusé et vous vous êtes battus ?

–Mouais, non…

–Comment ça s'est passé alors ?

–Il n'a pas supporté que je demande à Maud de l'appeler pour le convaincre de continuer de payer. Il m'a gueulé dessus dès que je suis entré dans son bureau. Je ne l'avais jamais vu aussi énervé. Et puis il m'a reproché de lui avoir envoyé notre photo de classe. Il ne voulait pas que sa femme connaisse les conneries qu'il avait faites dans sa jeunesse.

–C'est vous qui lui avez envoyé la photo ? demande Oscar.

---

207. Concéder (v.) : *Admettre, reconnaitre.*

– Non, c'est Maud, c'était son idée...

– Et donc, vous dites que c'est lui qui vous a agressé ? interroge le commissaire.

– Ouais, il est devenu dingue. Il m'a sauté dessus en me donnant des coups de poing. Je me suis défendu. C'est tout !

– Mais il est mort, regrette Oscar.

– Je vous dis qu'il n'était pas mort quand je suis parti ! répète Briant.

– Donc, après vous être battus, vous vous dites au revoir et vous partez tranquillement de son bureau... Vous nous prenez pour des enfants ! s'énerve le commissaire Brochant.

– Non, il a fini par se calmer un peu.

On frappe à la porte. Oscar se lève pour ouvrir. C'est un flic qui amène le résultat du test sanguin. Pascal Briant est bien du groupe O-. Une simple confirmation. Oscar revient à l'essentiel :

– Et pourquoi Laurent Leprince s'est-il calmé, monsieur Briant ?

– J'ai réussi à lui parler... Je lui ai dit que j'étais au courant de sa combine avec Securix...

– Vous pouvez être plus précis ? réclame Oscar.

– Maintenant qu'il est mort... Laurent vendait des logiciels qui ne lui appartenaient pas. Il les modifiait un peu et mettait plein de sécurités autour pour ne pas qu'on les reconnaisse.

– Vous avez cassé ces sécurités ?

– Ouais, j'ai eu du mal mais j'ai réussi… J'ai mis un an à comprendre comment il faisait.

– Et bien entendu, vous l'avez menacé de tout révéler s'il ne continuait pas de vous payer ? demande Brochant.

Pascal Briant a le regard sombre et ne répond rien. Les menottes semblent lui faire mal aux poignets.

– Extorsion de fonds[208] sous la menace et violences, affirme Oscar, le sourire aux lèvres. Vous risquez sept ans de prison, mon vieux… Sans compter une amende de 100 000 euros, mais vous êtes habitué à payer… Et ce sera la prison à perpétuité[209] si votre bagarre a mal tourné. Certes, vous n'aviez pas intérêt à tuer Leprince, il vous donnait de l'argent. Mais comment expliquer qu'il se retrouve sans chaussures dans le canal, quelques heures après votre visite ?

– Mais j'en sais rien, moi. Quand je suis parti, il était vivant. Et dans son bureau, il était en chaussettes, je peux le confirmer…

------

208. Extorsion de fonds : *Fait de forcer quelqu'un à donner de l'argent.*
209. Prison à perpétuité : *Peine de prison maximale (théoriquement jusqu'à la mort).*

# 21

Trois semaines plus tard.

Pascal Briant est en prison pour racket et violence. Certes, on a retrouvé son sang sur le cadavre de Laurent Leprince mais le rapport d'autopsie est catégorique. Laurent Leprince est mort de noyade, pas à cause des coups qu'il a reçus. Aucun témoignage, aucune preuve que Briant a poussé la victime dans le canal Saint-Martin. L'enquête n'avance plus et Pascal Briant nie toujours être l'assassin.

Oscar Tenon est contrarié. Il n'a aucune piste. Le commissaire Brochant l'a obligé à venir au bureau régulièrement et il traîne donc toute la journée dans les couloirs, écoute derrière les portes et relit des dossiers.

Jeudi 15 mars 2012. 15 h 32. Le commissaire Brochant convoque d'urgence Corti, Martin et Tenon dans son bureau. Le commissaire a le ton grave :

– La semaine dernière, une patrouille[210] a arrêté

---

210. Patrouille (n.f.) : *Groupe de policiers qui sont en mission de surveillance.*

Louis Viale, un S.D.F., au bord du canal. Il a quarante-quatre ans. En comparution immédiate[211], le type a été condamné à trois mois de prison pour violence. Il a agressé un cycliste. Et devinez quoi ?

Les trois flics se regardent sans un mot. Le patron savoure son petit suspense.

– Son ADN a été ajoutée au fichier des personnes condamnées avant-hier.

– Et ?... questionne Oscar.

– Tous les jours, un lieutenant est chargé de comparer les nouveaux ADN avec ceux prélevés sur les enquêtes en cours.

– Et ?... requestionne Oscar toujours plus intéressé.

– Et l'ADN de Louis Viale est celui que l'on a retrouvé sur la canette de bière à côté du cadavre de Laurent Leprince…

– Il y a un dieu qui veille sur la police, lâche Corti.

– Laissez la religion en dehors de cette affaire, Corti ! réplique sèchement Brochant. Louis Viale est à la prison de La Santé. Pour l'instant, il est à l'infirmerie. C'est un grand alcoolique en cure de désintoxication[212]. Je viens de téléphoner au directeur de la prison. Il vous attend tous les trois pour l'interroger. En route, les gars !

---

211. Comparution immédiate : *Procédure qui permet de faire juger rapidement quelqu'un après une garde à vue.*
212. Cure de désintoxication : *Traitement pour enlever ou limiter la dépendance à l'alcool ou à la drogue.*

D'un mouvement souple et rapide, Oscar se retrouve dans le couloir. Il lance bruyamment à Corti et Martin encore assis :

– On se retrouve à La Santé ! J'y vais en Mobylette.

Le lieutenant descend les cinq étages de l'escalier à toute vitesse. Il évite de justesse une collègue qui monte. Il n'a pas de temps à perdre et s'excuse d'un vague geste de la main.

Dans la cour du quai des Orfèvres, essoufflé, il recherche la voiture de Corti et Martin. Une Renault rouge peu discrète. Elle est là, à une vingtaine de mètres. Il se retourne. Personne. La cour est déserte. Il se précipite vers la voiture et se met à genoux devant la roue avant gauche. Rapidement, il dévisse le capuchon[213] et dégonfle le pneu dans un grand pschittttt. La voiture est inutilisable.

Oscar se relève pour courir vers sa Mobylette. Lorsqu'il démarre, Corti et Martin sortent à peine. Il passe devant eux à vive allure et crie, le sourire aux lèvres :

– À bientôt, les gars !

Oscar a environ une demi-heure d'avance sur ses collègues. Ils vont bien finir par trouver une autre voiture ou changer la roue. Oscar en profite pour faire une course dans une épicerie arabe. Cinq minutes pour choisir l'article, payer et redémarrer en direction de la

213. Dévisser le capuchon : *Enlever le bouchon.*

prison de La Santé, près de la place Denfert-Rochereau, à environ deux kilomètres.

16 h 18. Pour arriver à la cellule de Louis Viale, à l'infirmerie, le lieutenant Tenon franchit[214] douze portes, avec autant de serrures et de clés. Le directeur de la prison l'accompagne. C'est un grand type peu bavard qui ne doit pas savoir sourire. Oscar marche d'un pas rapide. Il ne veut pas que ses collègues le rattrapent.

La dernière porte s'ouvre sur une pièce toute blanche, avec un lit au milieu. Rien d'autre. Louis Viale est étendu, les yeux fermés. Oscar s'apprête à rentrer mais se retourne vers le directeur :

– J'ai besoin d'être seul avec ce monsieur. Vous pouvez refermer la porte derrière moi, s'il vous plaît.

– OK, mais je reste derrière la porte, on ne sait jamais…

– Si ça peut vous rassurer…

Louis Viale est endormi. Il paraît beaucoup plus âgé que quarante-quatre ans. Dormir dans la rue fait vieillir vite. Il a peu de cheveux et ils sont déjà presque tous gris. Sa peau est blanchâtre et ses yeux cernés[215] de noir. S'il ne respirait pas bruyamment, on pourrait penser qu'il est mort.

---

214. Franchir (v.) : *Passer.*
215. Cernés (adj.) : *Entourés. Ici, cela signifie qu'il a des cernes, des cercles plus foncés autour des yeux, à cause de la fatigue.*

Oscar s'approche de lui, puis tape dans ses mains d'un geste énergique. Louis Viale réagit à peine. Il ouvre les yeux tout en grognant des mots incompréhensibles.

– Réveillez-vous ! Je n'ai pas beaucoup de temps. Je suis le lieutenant Tenon de la brigade criminelle. On m'a dit que vous aimiez l'alcool. Les cures de désintoxication, ça sert à rien ! Je vous ai donc amené une petite bouteille de vodka.

Oscar sort de sa veste un flacon de 25 cl et l'approche de Louis Viale. Le flic ne laisse pas le prisonnier réagir :

– Mais il faut mériter cette vodka !

– Qu'est-ce que vous m'voulez ? marmonne Louis Viale.

– Je veux des renseignements sur une soirée au bord du canal, il y a un mois. Le lundi 13 février précisément.

Louis Viale se relève dans son lit et observe Oscar d'un regard vide. Sa voix est enrouée[216] à cause de l'alcool et du tabac.

– Vous savez qui je suis ? Juste un clochard qui vit dans la rue depuis cinq ans. Comment voulez-vous que je me rappelle du 13 février ? Dans la rue, tous les jours se ressemblent…

Oscar hoche la tête.

– Vous avez raison. Je vais donc être plus précis. Ce jour-là, un homme s'est noyé dans le canal. Il portait

---

216. Enrouée (adj.) : *Qui a la voix modifiée, comme abîmée.*

un gros anorak brillant et un bonnet rouge. Difficile de l'oublier, non ? Une petite gorgée de vodka pour vous réveiller ?

— Ouais, j'veux bien…

Louis Viale ne semble pas déstabilisé par les révélations d'Oscar. Il tend la main vers la bouteille de vodka. Oscar recule d'un pas :

— Non, pas tout de suite !... Je suis sûr que vous savez des choses…

— Et pourquoi je vous dirais des choses ?

— Parce que j'ai la preuve que vous étiez sur les lieux. Et votre séjour en prison ne va pas durer quelques mois, mais des années.

Louis Viale avale péniblement sa salive.

— Mouais, j'me souviens…

— Et vous vous souvenez de quoi ? Dépêchez-vous, je suis pressé !

— Bah je l'ai vu le type en anorak...

— Et ?...

— Il marchait bizarrement. Puis il s'est assis sur un banc. Il buvait de la bière, tout seul. J'me souviens aussi qu'il a retiré ses chaussures.

— Et ?...

— Et d'un coup, il s'est levé et il a sauté dans l'eau. J'y suis pour rien, moi.

— C'est tout ?

— Bah oui, c'est tout… J'étais de l'autre côté du canal… J'avais trop bu. J'ai rien pu faire…

Oscar lui tend la bouteille de vodka. Louis Viale s'en saisit en tremblant, l'ouvre et boit trois longues gorgées. Oscar lui arrache alors des mains et demande :

– Comment expliquez-vous qu'on a retrouvé votre salive sur l'une des canettes de bière qu'il buvait ?

Louis Viale s'enfonce dans son lit en s'essuyant la bouche de l'avant-bras. Il fixe Oscar d'un air fatigué. Le flic porte son attaque :

– Vous ne l'auriez pas plutôt poussé dans l'eau ?

– Non, j'vous jure ! Je lui ai juste pris ses baskets. Elles étaient sous le banc. Elles étaient neuves. Et puis j'ai fini la bière. Il en restait un peu. C'est tout !

– Et quand vous l'avez vu dans l'eau, vous n'avez pas essayé de l'aider, vous n'avez pas appelé du secours ?

Louis Viale est mal à l'aise.

– J'étais trop loin. Quand je suis arrivé au banc, c'était trop tard. J'vous jure que c'est vrai.

– Et qu'est-ce que vous avez fait des chaussures ?

– Bah je les ai mises. Regardez, elles sont sous le lit.

Oscar voit effectivement une paire de baskets bleues plus très neuves. Après quelques secondes de réflexion, il tend le flacon de vodka à Louis Viale.

– Finissez-la en vitesse, je suis pressé…

# ÉPILOGUE

Jeudi 15 mars 2012. 17 h 22. L'air satisfait, Oscar Tenon arrive chez Asafar Boulifa. Il fait deux bises à son ami et lance :

– Tu peux me sortir le rapport d'autopsie de Laurent Leprince ? Il me manque juste un petit détail pour expliquer la mort de Laurent Leprince.

– OK, j'ouvre ta boîte mail et je t'affiche le rapport.

Toujours aussi paresseux, Oscar laisse Asafar faire défiler les pages du rapport avec sa souris. Et soudain, il lui demande de s'arrêter :

– Là, c'est ça ! Ce détail m'a échappé la première fois que j'ai lu le rapport d'autopsie… Laurent Leprince avait de petites ampoules aux pieds. Ses chaussures étaient neuves et devaient lui faire mal. C'est pour ça qu'il était toujours en chaussettes. Et il a fini par se faire voler ses chaussures…

– Tu peux m'expliquer ? lui demande Asafar, perplexe.

– Le mystère du cadavre en chaussettes est résolu. Je viens d'entendre un témoin qui a vu Laurent Leprince sauter dans le canal. Et je ne pense pas qu'il mente. Maintenant, tout s'enchaîne. Pendant trois ans, Laurent

Leprince paie l'amende de Pascal Briant. Une fois l'amende payée, Briant veut continuer à recevoir de l'argent de Leprince. Ce dernier refuse mais Briant sait que Leprince est un escroc avec ses vrais-faux logiciels. Ils se battent dans le bureau de Leprince. Briant menace de tout raconter si Leprince ne le paie pas. Briant part de chez Securix. Il est persuadé que Leprince paiera. Ce dernier, très énervé, va s'acheter deux canettes de bière alors que l'alcool le rend malade. Il va boire ses bières sur un banc, au bord du canal. Il retire ses chaussures qui lui font mal. Désespéré, piégé[217] par toutes ses magouilles[218], il se jette dans l'eau. Un clochard qui passait par là assiste à la scène. Trop soul[219], il n'essaie pas une seconde de sauver Leprince. Il lui vole juste ses chaussures et finit sa bière. Fin de l'histoire. Sordide[220]…

Asafar reste sans réaction devant la logique du flic.

– Tu sais, Asafar, c'est important d'avoir de bonnes chaussures, pas comme toutes ces baskets ridicules que mettent les jeunes. Une bonne paire de chaussures en cuir avec une semelle contre la transpiration, il n'y a pas mieux !

– Et puis des ongles de pied bien coupés, ajoute Asafar. C'est important, ça évite de trouer les chaussettes !

---

217. Piégé (adj.) : *Pris au piège, coincé dans une situation difficile.*
218. Magouille (n.f.) : *Action ou manœuvre malhonnête. (fam.)*
219. Soul (adj.) : *Ivre, sous l'effet de l'alcool.*
220. Sordide (adj.) : *Ignoble, méprisable, affreux.*

## Crédits

Principe de couverture : David Amiel et Vivan Mai
Direction artistique : Vivan Mai

Crédits iconographiques de la couverture : Nacivet/Photographer's Choice/Gettyimages ; Clay McLachlan/Aurora/Gettyimages

Mise en pages : IGS-CP

Enregistrement, montage et mixage : Studio EURODVD

Texte lu par : Fabien Briche

© Les Éditions Didier, Paris, 2013
ISBN 978-2-278-07636-9 – Dépôt légal : 7636/01
Achevé d'imprimer en mai 2013 par Grafica Veneta (Italie)